Boycott

Steve Proulx

Boycott

essai

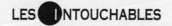

Les Éditions des Intouchables bénéficient du soutien financier de la SODEC, du Programme de crédits d'impôt du gouvernement du Québec, du PADIÉ et sont inscrites au Programme de subvention globale du Conseil des Arts du Canada.

LES ÉDITIONS DES INTOUCHABLES
1463, boulevard Saint-Joseph Est
Montréal, Québec
H2J 1M6
Téléphone : (514) 526-0770
Télécopieur : (514) 529-7780
info@lesintouchables.com
www.lesintouchables.com

DISTRIBUTION : PROLOGUE
1650, boulevard Lionel-Bertrand
Boisbriand, Québec
J7H 1N7
Téléphone : (450) 434-0306
Télécopieur : (450) 434-2627

Impression : Scabrini Média
Infographie et maquette de la couverture : Louise Durocher

Dépôt légal : 2003
Bibliothèque nationale du Québec
Bibliothèque nationale du Canada

ISBN 2-89549-113-5

À mon grand ami, George W. Bush.

Altria/Philip Morris, l'écran de fumée
Siège social : New York (New York)
Chiffre d'affaires (2002) : 80,408 milliards
de dollars[1]

> *Nous croyons qu'il continuera à y avoir un marché chez les fumeurs adultes et nous estimons être bien placés pour répondre à leurs besoins.*
>
> PHILIP MORRIS

> *Philip Morris est le plus grand trafiquant de drogues du monde, au côté duquel le cartel de la drogue colombien a honte.*
>
> MICHAEL PIUZE, avocat

1854. Londres. Bond Street, Philip Morris ouvre une tabagie qui offre des cigarettes déjà roulées. Après son décès, sa femme et son frère reprennent la boutique, qui grandit tranquillement... En 1902, la compagnie Philip Morris débarque à New York et propose ses marques britanniques aux Américains. Durant les années 1920, elle lance une cigarette plus « douce » baptisée

---

[1] Toutes les sommes indiquées dans ce livre sont exprimées en dollars américains.

d'après le nom de la rue où est située l'usine Philip Morris, à Londres, Marlborough Street. Marlboro est l'une des premières marques de cigarettes à être commercialisées auprès des femmes. Au départ, elles sont même munies d'un embout rouge afin de mieux dissimuler les traces de rouge à lèvres. La marque ne remporte toutefois pas un grand succès. Qui plus est, des inquiétudes commencent à poindre quant aux risques liés au tabagisme, ce qui mène à la création du filtre à cigarette. Puisque Philip Morris vend des cigarettes sans filtre, c'est l'occasion, en 1954, de relancer la marque Marlboro (avec filtre), et ce, en adoptant une toute nouvelle stratégie de marketing.

« Quel est le symbole le plus masculin qui vous vient en tête ? », demande le légendaire publicitaire Leo Burnett à ses rédacteurs. La réponse est unanime : le cow-boy. Le fameux « cow-boy Marlboro » naît en 1954. Viril, épris de grands espaces, cigarette au bec, il apparaîtra dans les publicités de Marlboro et deviendra l'icône américaine par excellence (aujourd'hui, la marque Marlboro vaut plus de 24 milliards de dollars). Grâce à son cow-boy, Leo Burnett fait exploser les ventes de cigarettes Marlboro. Forte d'une vaste clientèle, curieusement très dépendante, Philip Morris réalise d'énormes profits des décennies durant, devenant ainsi le géant mondial des vices qui partent en fumée…

Pendant la majeure partie du XXe siècle, tout le monde fume. James Bond se grille une cigarette entre deux martinis « *shaken, not stirred* ». Bogart s'en allume deux à la fois. La clope de James Dean, le rebelle, lui donne un air de mauvais garçon au cœur tendre. Fumer est un moyen

pour chacun d'affirmer sa révolte et son indivi-
dualité. On fume à l'hôpital, dans l'avion, dans
l'autobus, au cinéma. À la télé, les animateurs
d'émissions de variétés fument en ondes, tout
comme leurs invités. On n'ignore pas que le
tabagisme puisse être responsable de certains
troubles de la santé. Mais même après la publi-
cation, en 1962, du volumineux rapport du Royal
College of Physicians confirmant le lien entre
certaines maladies et la cigarette, les mentalités
changent peu. Philip Morris y est pour quelque
chose et ne s'en cache pas. « Nous nous sommes
opposés à la plupart des propositions visant à
réglementer davantage l'industrie du tabac au
cours des années 70, 80 et même 90, et nous
avons adopté une approche vigoureuse et
combative envers plusieurs problématiques
reliées à la santé qui se sont fait sentir sur les
ventes et le marketing des produits du tabac[2]. »

Le monde en Kraft

Si l'on voulait résumer rapidement l'histoire
de Kraft, on pourrait dire qu'il y avait au départ
des dizaines de petites entreprises qui pros-
péraient dans le vaste océan des denrées alimentaires. Avec les années, ces petites entreprises se
sont fait avaler par de plus grosses, qui elles-
mêmes se sont fait gober par de grandes
baleines. Tous ces géants se sont finalement
retrouvés dans l'estomac d'un gigantesque monstre marin : Altria. Nous ne nous attarderons sur

---

[2] Mark Berlind, conseiller général aux affaires juridiques, Altria Corporate Services inc., dans un discours intitulé « Media, Marketing and Morality in the Tobacco Wars », Los Angeles, 31 mars 2003.

les détails que pour dire que, au début des années 1980, Kraft, Nabisco et General Foods Corporation sont de gros joueurs internationaux qui se battent pour obtenir chacun le monopole d'une section du panier d'épicerie : Kraft pour les fromages, Nabisco pour les biscuits, les craquelins et les amuse-gueule, General Foods pour tout le reste. Philip Morris achète General Foods Corporation en 1985, puis Kraft en 1988. Le monstre de la cigarette devient ainsi la plus grande entreprise de produits de consommation du monde. La division alimentaire de Philip Morris est rebaptisée Kraft General Foods. En 1993, c'est un des chefs de file nord-américains dans le marché des céréales qui tombe dans la gueule de Kraft General Foods : RJR Nabisco. Le géant prend du poids. Encore.

Altria, c'est quoi au juste ?

Novembre 2001. La compagnie Philip Morris annonce qu'elle se cherche un nouveau nom. Elle optera finalement pour Altria Group le 25 avril 2002. « Notre changement de nom […] reflète le fait que nous ne sommes plus la même compagnie, et ce, en ce qui concerne notre structure, notre culture et notre comportement. Ce changement reflète mieux notre identité actuelle et celle que nous voulons avoir dans le futur », peut-on lire sur le communiqué officiel. Bien sûr, les critiques ne tardent pas à comprendre le subterfuge, affirmant que cette nouvelle identité n'est qu'une bête solution pour maquiller l'image négative véhiculée par le nom du fabricant de cigarettes Philip Morris (une « spéculation » qu'Altria s'efforce de démentir tant bien que mal). Altria viendrait du mot latin *altus* qui signifie « sommet », comme dans l'expression « atteindre de nouveaux sommets ». Certaines mauvaises langues remarquent que le nom choisi ressemble davantage à « altruisme ».

Avec tout le boucan médiatique qu'a provoqué son changement de nom, l'opération risque d'avoir été plus dommageable que bénéfique pour l'entreprise. En 2001, un sondage de Harris Interactive concluait que la diversion de Philip Morris pourrait ne pas avoir les résultats prévus. En effet, 16 % des répondants avaient boycotté les produits Philip Morris au cours de la dernière année, principalement parce que l'entreprise avait décidé de changer de nom pour Altria ! C'est que, dans l'esprit de plusieurs, Altria est non pas le nouveau nom d'une entité qui évolue, mais plutôt celui d'un « méchant-cigarettier-qui-essaie-en-vain-de-ne-plus-avoir-l'air-d'un-méchant-cigarettier ».

Aujourd'hui, Altria, c'est : 166 000 employés dans le monde entier, 100 % de participation dans Philip Morris, 84 % dans Kraft General Foods et 36 % dans SABMiller, le deuxième plus grand brasseur du monde (qui nous donne la bière Miller). Philip Morris (É-U et International) est la plus importante compagnie de tabac de la planète et possède 29 marques de cigarettes (dont 7 font partie des 20 marques les plus vendues dans le monde[3]). Kraft, quant à elle, est la plus grosse compagnie d'alimentation en Amérique du Nord et commercialise plus de 200 marques populaires

---

[3] Rapport annuel d'Altria, 2002, p. 4.

aux États-Unis et ailleurs. Pour n'en nommer que quelques-unes, Kraft, c'est : le café Maxwell House, Nabob et Sanka, le fromage Philadelphia, Velveeta et P'tit Québec, le Jell-O, le jus Del Monte, les céréales Alpha-Bits, Honeycomb et Raisin Bran, les biscuits Chips Ahoy !, Fudgee-O et Oreo, les bonbons Life Savers et les pastilles au goût particulièrement fort Altoids.

Depuis 1990, Philip Morris a distribué près de 20 millions de dollars sous forme de contributions politiques. De ce montant, 74 % est allé au Parti républicain. La cote d'amour du public envers Philip Morris s'est envolée en fumée au cours de la dernière décennie. En 1990, le magazine *Fortune* classait le fabricant de cigarettes au deuxième rang des entreprises les plus admirées. En 1995, l'entreprise glissait jusqu'à la 202e position. Pour avoir laissé croire que ses activités étaient écologiques, Altria occupe également la position de tête du palmarès 2003 des plus grands *greenwashers*. Cette liste, publiée chaque 1er avril depuis plus de 10 ans par l'organisme Earthday Resources for Living Green, regroupe les entreprises ayant le plus brillé par leurs activités de *greenwashing* (désinformation verte). L'année précédente, Kraft avait aussi remporté la palme. « En faisant la promotion de céréales telle que Blueberry Morning par l'utilisation d'adjectifs comme *naturel* et *sain*, Post (Kraft) suggère qu'elles sont faites d'ingrédients qui existent dans la nature, et non concoctés en laboratoire[4]. »

---

[4] *Don't be Fooled 2003*, rapport publié par Earthday Resources for Living Green, 1er avril 2003.

Pour tous les goûts

On peut tous trouver au moins une bonne raison de ne pas consommer les produits d'Altria. Tantôt, des organismes boycottent Kraft à cause de l'utilisation d'OGM dans leurs produits. Tantôt, d'autres boycottent Philip Morris parce qu'on l'accuse de faire la promotion du tabac (auprès de mineurs, notamment). Et que dire de ces militants qui pointent du doigt Kraft pour sa responsabilité dans la chute des prix du café (plusieurs travailleurs du café doivent aujourd'hui vendre leurs productions à perte) ? Dresser la liste complète des fautes que l'on impute à Altria pourrait faire l'objet d'un ouvrage complet. Nous nous concentrerons sur la plus grande des croisades menées contre Altria : la lutte antitabac.

Faire mourir la cigarette

Ce que les militants antitabac reprochent à Altria/Philip Morris, c'est non pas de vendre des cigarettes, mais de faire la « promotion » du tabagisme et de minimiser la gravité des effets de la cigarette sur la santé des fumeurs. L'anecdote suivante en dit long : en juillet 2001, le monde apprend l'existence d'une étude commandée par Philip Morris et portant sur les bénéfices du tabac pour les finances publiques de la République tchèque. Les conclusions de l'étude ont de quoi scandaliser. On y décrit les retombées économiques, pour le gouvernement tchèque, pouvant être reliées au tabagisme. Ainsi, non seulement les ventes de cigarettes génèrent des revenus pour l'État (sous forme de taxes à la consommation), mais la mort prématurée des fumeurs aurait permis au petit pays d'économiser entre 24 et 30 millions de dollars en pensions, aide au logement et soins médicaux pour les aînés (1999). Philip Morris s'est excusée publiquement. Malgré tout, comment peut-on avoir des idées aussi tordues ?

Ce n'était ni la première ni la dernière fois que Philip Morris défrayait les manchettes pour de tels scandales. Au cours des dernières années, de nombreux procès pour publicité trompeuse ont propulsé Philip Morris au premier plan de l'actualité.

Il y a d'abord le procès Richard Boeken contre Philip Morris. Le 6 juin 2001, un juge de la cour de Los Angeles condamne le fabricant de cigarettes à payer 3 milliards de dollars à Richard Boeken, un agent de change de 56 ans qui combat un cancer causé par la cigarette. Dans le cadre des procès individuels, c'est la condamnation la plus lourde jamais imposée à une entreprise de tabac. Boeken a accusé Philip Morris d'avoir menti en omettant d'informer le public quant aux risques du tabac et en présentant, dans ses campagnes publicitaires, le tabagisme comme étant une activité *cool*. Au mois d'août 2001, un juge de la cour d'appel accepte de réduire la peine à 100 millions de dollars, ce qui constitue toujours la plus coûteuse condamnation de l'histoire pour une telle affaire.

Le 22 mars 2002, un juge de Portland somme Philip Morris de verser 150 millions de dollars aux héritiers de Michelle Shwarz, une fumeuse qui avait commencé, dans les années 1970, à fumer des cigarettes Merit parce que les publicités affirmaient qu'elles étaient moins dangereuses pour la santé. En mai 2002, l'amende est réduite à 100 millions de dollars. La famille Shwarz a tenu à préciser que ce montant correspondait aux profits réalisés par Philip Morris en 10 jours seulement.

Le 4 octobre 2002, Philip Morris est condamnée, encore par la cour de Los Angeles, à verser 28 milliards de dollars à Betty Bullock, une fumeuse de Benson & Hedges de 64 ans atteinte d'un grave cancer des poumons. Cette condamnation pour dommages punitifs bat de loin tous les records précédents. Toutes les associations antitabac du pays se réjouissent du verdict. Le 19 décembre suivant, la cour d'appel réduit toutefois la peine de 1 000 fois, soit 28 millions de dollars. En 2003, Altria/Philip Morris est toujours impliquée dans quatre procès d'importance.

Tous ces procès, conjugués aux pressions incessantes des nombreux regroupements antitabac, ont finalement abouti, en mai 2003, à l'adoption d'un traité de lutte antitabac par les 192 pays membres de l'Organisation mondiale de la santé (OMS). Pour entrer en vigueur, cette « convention-cadre » doit être signée par au moins 40 pays. Elle obligerait les pays à « imposer des restrictions sur la publicité, le parrainage et la promotion en faveur du tabac, [à] mettre en place un nouvel étiquetage, [à] adopter des mesures pour assurer la propreté de l'air à l'intérieur des locaux et [à] renforcer la législation afin de supprimer la contrebande du tabac ».

Pour l'organisme américain Infact, qui lutte contre les abus des méga-entreprises, cette nouvelle est le couronnement de 10 ans d'activisme. Depuis 1993, Infact mène une campagne de boycottage contre le Kraft Dinner parce qu'Altria/

Philip Morris utiliserait la confiance du public envers Kraft afin d'améliorer son image et d'occulter sa responsabilité en ce qui concerne les méfaits du tabac. Cet organisme compte des milliers de militants qui, au fil des années, ont affiché des autocollants « Boycottez Kraft ! » sur leurs voitures, distribué des pamphlets anti-Kraft et Philip Morris dans leurs communautés, etc. Infact a aussi approché les médias en souhaitant ternir l'image d'Altria (qui, elle, peut compter sur une machine de relations publiques hautement sophistiquée).

Chez Infact, Patti Lynn est la directrice de la campagne anti-Kraft. Elle était à Genève lorsque l'OMS a adopté le Traité international de lutte antitabac. « Nous avons été impliqués dans le processus en tant qu'organisme à but non lucratif, dit-elle. Nous entretenons des liens officiels avec l'OMS et avons revendiqué l'implication des autres pays afin de renforcer le traité. » Patti Lynn est bien consciente que son pays est loin d'être le porte-étendard de la cause antitabac. « Je ne crois pas que les États-Unis le ratifient, surtout pas sous l'administration Bush, ajoute-t-elle. Ce que nous avons pu constater au cours des négociations entourant l'adoption du traité, c'est que les États-Unis ont vraiment essayé, par tous les moyens, de miner la crédibilité de celui-ci. »

Si, du temps de Clinton, les États-Unis étaient largement en faveur du traité, la situation a dramatiquement changé avec l'arrivée du cow-boy Bush. La Maison-Blanche a même annoncé, en octobre 2002, « qu'elle s'opposerait violemment à tout contrôle mondial de la cigarette en arguant que "cela violerait le droit à la liberté d'expression enchâssé dans la Constitution américaine" ». « Ce sont les autres pays, poursuit Patti Lynn, principalement des pays en voie de développement, avec l'appui de l'Europe, qui ont pu le renforcer. Tout au long du processus [qui a duré quatre ans], les pays ont défié les États-Unis en restant forts devant les tentatives d'affaiblissement de la part des lobbys du tabac américains[5]. »

Y a-t-il un avenir pour l'industrie du tabac ?

Actuellement, le tabac tue quelque cinq millions de personnes par an, selon l'OMS. Ce nombre pourrait doubler d'ici 2020 « si les pays n'appliquent pas les mesures énoncées dans la convention-cadre ». On constate que si le taux de tabagisme est sur la pente descendante dans certains pays industrialisés, ce n'est pas le cas dans de nombreux pays en voie de développement, qui sont plus que jamais la cible des fabricants de cigarettes et où les restrictions entourant la promotion du tabac sont pratiquement inexistantes. Le Traité international sur la lutte antitabac, s'il est ratifié, aidera beaucoup de pays en voie de développement à lutter contre les effets dévastateurs du tabagisme. Pour les pays occidentaux, où fumer est de moins en moins *cool*, ce ne sera qu'un pas dans la bonne direction. Dans un tel contexte, il est permis de s'interroger : y a-t-il un avenir pour l'industrie du tabac ?

---

[5] Barry Yeoman, « Accord mondial sur la lutte au tabagisme, un tabac international ! », *Voir*, semaine du 15 au 21 mai 2003, p. 10.

Patti Lynn pense que la signature de ce traité pourrait vraiment contribuer à réduire le tabagisme dans le monde. Même Altria, qui dépense désormais des millions de dollars pour améliorer son image, semble prête à affronter la situation. « Si nos efforts pour prévenir le tabagisme chez les jeunes accélèrent le déclin des ventes de cigarettes Philip Morris, nous sommes préparés à accepter cela[6]. »

Voilà une belle leçon de vie pour tous les fumeurs de Marlboro : acceptez la mort quand elle frappe à votre porte...

Sources :

Infact
www.infact.org

Campaign for Tobacco-Free Kids
www.tobaccofreekids.org

Krafted : Genetically Krafted Foods
www.krafty.org

Tobacco Free Initiative (OMS)
tobacco.who.int

---

[6] John Hoel, directeur des affaires gouvernementales, Philip Morris Management Corp., dans un discours intitulé « The Path to Responsibility at Philip Morris Companies », Tampa, 20 novembre 2002.

AOL Time Warner, la tentaculaire
Siège social : New York (New York)
Chiffre d'affaires (2002) : 40,961 milliards
de dollars

> *Nous allons explorer les façons d'utiliser le*
> *pouvoir des médias, des communications et des*
> *technologies de l'information pour servir l'intérêt*
> *public et renforcer la société.*
> STEVE CASE, ex-PDG d'AOL Time Warner,
> le 11 janvier 2001, jour où la fusion entre AOL
> et Time Warner a été achevée.

> *La concentration des médias est la pierre angulaire*
> *de la commercialisation de la culture et de l'érosion*
> *de la démocratie civique.*
> RALPH NADER

Steve Case est un visionnaire. Cette fameuse
vague technologique, il l'a vue venir de loin. Au
début des années 1980, Case quitte son emploi de
directeur des produits chez Pizza Hut afin de s'investir dans une entreprise de distribution de jeux
vidéo Atari pour les ordinateurs personnels. Cette
entreprise, Control Video Corporation, n'est pas
un succès, mais cela n'empêche pas notre visionnaire d'avoir des visions. Avec un ancien collègue

de Control Video Corporation, il lance, en 1985, Quantum Computer Services. Ce fournisseur de services de réseautique deviendra bientôt America Online (AOL). La ruée vers le Web du début des années 1990 n'est pas encore commencée qu'AOL est déjà engagée dans la course aux abonnés pour son service Internet. En 1995, le réseau AOL compte déjà deux millions de membres.

En devenant le géant d'Internet, AOL réussit là où échouent de nombreuses entreprises naissantes, notamment parce que la société a créé une manière facile d'avoir accès à Internet, tout en proposant aux consommateurs des outils qui leur permettent de communiquer entre eux. En d'autres mots, AOL offre à l'homme de la rue les clés du cyberespace, sans que celui-ci ait à trop se casser le coco avec l'aspect technique. Rarement dans l'histoire a-t-on vu une si jeune entreprise connaître une si fulgurante croissance. AOL est une adolescente milliardaire qui en veut toujours plus.

10 janvier 2000. La pubère AOL et le vieux routier Time Warner annoncent leur intention de fusionner. Toujours aussi visionnaire, Steve Case n'a désormais qu'un seul mot-prophétie en bouche : convergence. AOL et Time Warner, c'est un mariage entre Internet, les médias et les télé-communications. La fusion du contenant et du contenu. « La compagnie propose aussi des occa-sions uniques pour les publicitaires et les annon-ceurs d'améliorer de façon créative leurs relations avec leurs consommateurs », déclare Steve Case. La convergence permet à un annonceur de mieux utiliser le pouvoir des médias pour vendre, ven-dre et encore vendre.

Il a fallu une année, presque jour pour jour, pour que la FCC[1], par les pouvoirs qui lui sont conférés, autorise l'union des deux amants. Pour le meilleur et pour le pire, et jusqu'à ce que la mort les sépare… La fusion d'AOL et de Time Warner entre immédiatement dans l'histoire comme étant la plus grosse transaction boursière de tous les temps : 166 milliards de dollars. L'année suivante, AOL Time Warner écrit une nouvelle page d'histoire, cette fois-ci en annonçant la plus grosse perte de tous les temps : 100 milliards de dollars. Éclatement de la bulle techno oblige, la valeur du géant des médias a fondu comme neige au soleil, laissant aux actionnaires un arrière-goût bien amer de cette fameuse convergence. Steve Case est poussé vers la porte quelque temps après. Le visionnaire range ses jumelles…

Malgré tout, l'idée de la convergence persiste, au grand dam des chantres de la diversité des points de vue dans les médias. Pour eux, la convergence, c'est l'anti-diversité. Et pourtant, ce dont notre monde mondialisé a le plus besoin en ce moment, c'est bien de diversité.

Aujourd'hui, AOL Time Warner, c'est : 91 000 employés, la plus grande entreprise de médias et de divertissement de la planète et le premier fournisseur d'accès Internet à travers le monde (avec plus de 35 millions d'abonnés)[2]. Le géant étend ses tentacules partout où l'on peut trouver un public à captiver. AOL Time Warner propose

---

[1] Federal Communications Commission, l'équivalent américain du CRTC canadien.

[2] AOL a par contre perdu 846 000 abonnés au cours du second trimestre de 2003.

le câble à 18,2 millions de foyers ; possède des réseaux de télévision, dont CNN, HBO et Comedy Central ; produit des émissions de télévision qui sont distribuées dans 175 pays et traduites en plus de 40 langues ; produit des films par le biais de ses filiales Warner Bros, Pictures et New Line Cinema ; commercialise des films en formats VHS et DVD (1 500 nouveaux titres en 2002) ; produit des disques compacts sous les étiquettes Warner Music Group, Elektra et Atlantic ; publie des livres et des magazines tels que *Fortune*, *Time*, *Entertainment Weekly*, *People*, *Sports Illustrated*. En 2001, 25,1 % de tous les revenus publicitaires des magazines destinés au grand public vont dans les caisses d'AOL Time Warner.

Au lendemain de la fusion des deux titans des médias, c'est l'inquiétude. Plus de doute, la concentration des médias a vraiment atteint des sommets historiques. Que va-t-il arriver à la diversité des voix ? Quelle place pour les médias indépendants ? On dit que les médias sont le quatrième pouvoir. Avec AOL Time Warner dans le décor, ça n'aura jamais été aussi vrai.

Pourquoi dire non à la concentration des médias ?

Aux États-Unis, cinq groupes médiatiques se partagent 75 % de la programmation télévisuelle aux heures de grande écoute : Viacom, Disney, AOL Time Warner, General Electric et News Corporation. AOL Time Warner n'est donc pas le seul responsable de la concentration des médias. Mais il est le plus gros des cinq et presque tous les groupes qui sont intéressés un tant soit peu par l'indépendance des médias ont quelque chose à dire contre AOL Time Warner.

2 juin 2003. La FCC donne aux groupes médiatiques la possibilité d'étendre encore davantage leur empire. En plus d'accorder le droit à une même entreprise de posséder des réseaux de télévision et des journaux dans un même marché, la FCC permet désormais à une seule société de posséder trois réseaux de télévision dans un même marché (plutôt que deux) et augmente aussi le nombre de stations de radio pouvant être sous l'égide d'un propriétaire unique. Sur les cinq commissaires de la FCC qui ont dû trancher la question, on comptait trois représentants républicains et deux représentants démocrates. Le vote s'est conclu à trois voix contre deux. Vous l'aurez deviné, les républicains ont choisi la concentration. « Nous venons d'éliminer les dernières protections qui assuraient aux consommateurs une diversité de points de vue », déclarait un des deux commissaires démocrates dissidents, Jonathan Adelstein[3]. « Je vois de la centralisation, pas du "local", je vois de l'uniformité, pas de la diversité, je vois du monopole et de l'oligarchie, pas de la concurrence », a affirmé Michael Copps, l'autre commissaire démocrate. Même Ted Turner, fondateur de CNN (aujourd'hui dans le giron d'AOL Time Warner) s'est élevé contre cette décision : « Ils vont étouffer les débats, gêner l'émergence de nouvelles idées et écarter les petites entreprises qui tentent de concurrencer [les grandes]. Si ces règles avaient été

---

[3] Frédéric Denoncourt, « La voix du plus fort », *Voir*, semaine du 12 au 18 juin 2003, p. 12.

en place en 1970, il m'aurait été impossible de lancer Turner Broadcasting ou, 10 ans plus tard, de fonder CNN[4]. »

Bien sûr, en prévision des élections présidentielles aux États-Unis, les grands groupes médiatiques sauront sûrement remercier leurs amis les républicains. En guise de renvoi d'ascenseur, il n'est pas impossible d'imaginer que l'on ait droit à une couverture médiatique complaisante, patriotique et dénuée de tout sens critique à l'égard du programme électoral du gouvernement Bush, peut-être à l'image de celle qu'ont servie à leur peuple les médias américains pendant la guerre en Irak. Quand le premier et le quatrième pouvoir marchent main dans la main, il est permis de frissonner.

La question de la concentration des médias est à des années-lumière d'être réglée. Pour défendre les rares médias indépendants qui résistent, encore et toujours, à l'envahisseur, les tenants de la diversité des points de vue n'ont pas fini d'écrire des éditoriaux enflammés dénonçant concentration, convergence, propriété croisée et autre intégration verticale. Les parallèles orwelliens et les références à *Citizen Kane* sont presque en voie de devenir des lieux communs.

Concentration ou commercialisation des médias ?

Certains critiques affirment que la concentration des médias n'est pas le pire des fléaux qui

---

4 Ted Turner, « Monopoly or Democracy ? », *The Washington Post*, 30 mai 2003, p. A23.

soit. Le vrai danger, dit-on, c'est l'information-spectacle et l'utilisation des médias comme courroie de transmission pour satisfaire les besoins de l'*homo consumens*. Il faut bien se rendre à l'évidence : on trouve aujourd'hui la plus grande quantité de médias de toute l'histoire de l'humanité. Nous avons accès à Internet, à une pléthore de magazines spécialisés, à une diarrhée de chaînes numériques qui s'intéressent à tous les sujets imaginables. Des médias aux points de vue divergents ne sont pas difficiles à trouver. Le problème n'est pas tant la quantité de points de vue que leur qualité !

Des magazines féminins qui impriment chaque mois des pages pleines de mannequins retouchés par ordinateur, d'articles de fond sur les points noirs ou les nombrils, de reportages percutants sur les starlettes d'Hollywood enceintes ; des émissions de télé-réalité qui repoussent toujours plus loin les limites de la débilité ; des gueulards à la radio qui crachent des idioties à longueur de journée dans les oreilles de l'Amérique ; dans les journaux, des espaces consacrés aux spectacles, aux vedettes qui ont assisté à ces spectacles, aux vedettes qui jouent dans les spectacles et aux critiques qui critiquent les vedettes qui ont participé aux spectacles, etc. Et que dire de ces cahiers hebdomadaires « spéciaux » portant sur l'automobile, la décoration, l'immobilier qui ne sont, finalement, que des publi-reportages déguisés ? Les médias sont aujourd'hui nombreux et diversifiés, mais n'ont rien à dire…

Chaque média, perdu dans cette mare médiatique, doit attirer un auditoire pour survivre. C'est la condition *sine qua non* pour séduire les annonceurs qui, eux, assurent la santé financière du média. Que faire pour attirer les regards ? Du tape-à-l'œil, du scandale, de l'information-spectacle…

Par la bande, on occulte le véritable rôle des médias d'information : aider la population à mieux vivre en démocratie. Cet idéal ne passe pas par la quantité d'informations que nous recevons, ni par les efforts gigantesques déployés par les médias pour faire affluer les publics. Elle passe par un désir des médias de livrer une information utile et pertinente. Désormais, ce qui intéresse les propriétaires de médias n'est plus le contenu, mais la capacité qu'a ce contenu d'attirer un maximum de paires d'yeux. Si les médias ne vendent plus que des volumes d'auditeurs, c'est en grande partie à cause de cette fameuse convergence.

Bechtel, la bâtisseuse
Siège social : San Francisco (Californie)
Chiffre d'affaires (2002) : 11,6 milliards
de dollars

> *Nous planifions et agissons pour le futur…*
> *pour le bien à long terme de notre compagnie,*
> *de nos consommateurs et de notre monde.*
> BECHTEL

> *Bechtel a une honteuse feuille de route en ce qui*
> *concerne l'exploitation des humains, ainsi que*
> *la dévastation environnementale et financière au sein*
> *de communautés partout dans le monde, de Boston*
> *à la Bulgarie et jusqu'en Bolivie.*
> CORPWATCH, PUBLIC CITIZEN, GLOBAL EXCHANGE

1898. Warren A. Bechtel entame sa toute première construction : un chemin de fer en Oklahoma. Ce ne sera pas le dernier. À cette époque, le pays de l'Oncle Sam vit son ère industrielle et développe ses voies de communication. Bechtel construira aussi des routes, des tunnels et des ponts. En 1933, Warren A. Bechtel meurt et lègue l'entreprise à son fils Stephen. Entrepreneur-né, Stephen Bechtel se fait une fierté de dire : « Nous pouvons construire n'importe quoi, n'importe quand, n'importe où ». Bechtel fait alors partie d'un consortium de six compagnies mandatées pour construire le barrage hydroélectrique Hoover sur le fleuve Colorado. Au moment de sa construction, ce barrage est le plus haut du monde et, jusqu'en 1948, il représente le plus grand complexe hydroélectrique jamais construit. Lorsque le fils de Stephen Bechtel, Stephen Junior, prend la barre de la compagnie, il ouvre l'ère des « mégaprojets ». Et pour Bechtel, il n'y aura jamais rien de trop gros.

Depuis sa fondation, Bechtel a construit toutes sortes de projets : des usines, des centrales thermiques et nucléaires, des pipelines, des mines, et ce, sur les sept continents. C'est à Bechtel que l'on doit le pipeline Trans-Arabie, la centrale nucléaire de Dresden (Illinois), le réseau de train rapide BART (Bay Area Rapid Transit) qui dessert les villes de San Francisco, Oakland et Berkeley, le barrage hydroélectrique LG-2 à la baie James (Québec) ainsi que le gigantesque Jubail Industrial City (Arabie Saoudite), le plus grand complexe pétrochimique du monde qui regroupe pas moins de 19 usines principales. Bechtel a participé à la reconstruction du Koweït après la guerre de 1991 (elle a orchestré l'incroyable tâche d'éteindre les quelque 650 puits de pétrole enflammés). L'entreprise est aujourd'hui responsable de la construction du fameux projet Big Dig de Boston, le « plus grand et le plus complexe des projets d'autoroutes jamais tenté dans l'histoire des États-Unis ».

Aujourd'hui, Bechtel, c'est : 47 000 employés dispersés dans une soixantaine de pays. Depuis 100 ans, Bechtel a réalisé quelque 20 000 projets dans 140 pays. Un bel héritage…

Juin 2003. Les organismes Public Citizen, Global Exchange et Corpwatch publient un volumineux rapport sur les travers transnationaux de Bechtel. « Cent ans d'histoire à tirer profit de technologies non durables sur le plan environnemental et à encaisser d'immenses bénéfices sur le compte des sociétés et de l'environnement. » Ce rapport arrive quelques semaines seulement après l'annonce de l'octroi de contrats totalisant 34,6 millions de dollars pour la reconstruction de l'Irak. La valeur de ces contrats pourrait bien grimper jusqu'à 680 millions de dollars afin de remettre sur pied les infrastructures du pays, passablement amochées au terme de la récente « libération » par les troupes de George W. Bush.

Intitulé *Bechtel : Profiting from Destruction*, ce rapport fait état de plusieurs sombres épisodes qui ont parsemé le riche passé de Bechtel. On y apprend, par exemple, que la construction par Bechtel de la plus grande mine d'or de Papouasie–Nouvelle-Guinée a occasionné le déversement de centaines de milliers de déchets toxiques dans les rivières avoisinantes. On découvre aussi que Bechtel a obtenu le contrat pour l'entreposage de déchets nucléaires sur le site du mont Yucca (Nevada), un espace considéré comme sacré par le peuple autochtone shoshone. D'ailleurs, ce site était auparavant géré par Bechtel et l'on y effectuait des tests d'armes chimiques, nucléaires et biologiques. Le rapport parle également des relations qu'entretiennent Bechtel et Saddam Hussein : « Bechtel a montré une corruption morale effrontée en contribuant d'abord au développement de l'armement de l'Irak, et ensuite en appuyant la guerre contre l'Irak pour, finalement, profiter de la tragédie et des destructions provoquées par la guerre », dit Andrea Buffa, coordonnateur de la campagne pacifique chez Global Exchange. Mais l'un des pires dossiers noirs de Bechtel reste encore celui de Cochabamba.

La guerre de l'eau – épisode I

Avril 2000. Nous sommes à Cochabamba (Bolivie), une ville de 600 000 habitants au cœur de la cordillère des Andes. C'est ici que se déroulera l'une des premières véritables guerres de l'eau. C'est ici que les citoyens « les plus pauvres d'Amérique du Sud [expulseront] une des plus riches entreprises du monde, et [reprendront possession de] quelque chose d'aussi simple et essentiel que leur eau[1] ».

Juin 1997. La Banque mondiale, une institution dont la mission est de « faire reculer la pauvreté dans les pays en voie de développement », annonce au président de la Bolivie qu'elle effacera 600 millions de dollars de la dette du pays. Mais parmi les conditions inhérentes à la signature de cette entente, on demande que l'approvisionnement en eau de la ville de Cochabamba soit privatisé. Le gouvernement bolivien, bien mal placé pour négocier, accepte les termes de l'entente. En 1999, derrière des portes closes, une « mystérieuse nouvelle compagnie nommée Aguas del Tunari » obtient le contrat pour fournir l'eau à la ville jusqu'en 2039. On découvrira

---

[1] Jim Shultz, *Bolivia's War Over Water*, Democracy Center (www.democracyctr.org).

32

bientôt que cette compagnie est sous l'égide du géant de l'ingénierie : Bechtel.

Quelques semaines après que Bechtel ait pris le contrôle de l'eau de Cochabamba, la compagnie augmente les tarifs de 200 % et parfois même plus. Le salaire mensuel moyen des travailleurs de la ville est alors de 60 $. On demande à ceux-ci de payer parfois jusqu'à 15 $ par mois pour avoir accès à l'eau courante. Pour certains ménages plus pauvres, le prix de l'eau potable absorbe désormais plus de 10 % du budget mensuel. Dans certaines familles, il faut maintenant choisir entre l'eau et la nourriture.

À peu près au même moment, un mouvement citoyen se forme à Cochabamba : La Coordinadora. Son objectif : défier la privatisation sous toutes ses formes. En novembre 1999, La Coordinadora s'allie à la Fédération des irrigateurs de Bolivie, une fusion entre la ville et la campagne à partir de laquelle est créée La Coordinadora pour la défense de l'eau et de la vie. Ce regroupement commence à organiser des manifestations populaires dans les rues de Cochabamba afin de réclamer une eau potable à un prix raisonnable et, en somme, le droit pour chacun de boire de l'eau. En janvier 2000, le groupe organise une première grève générale. Pendant trois jours, Cochabamba est paralysée : les autoroutes qui donnent accès à la ville sont bloquées, la livraison de la nourriture et le transport en commun sont interrompus, l'aéroport est fermé. En occupant des sites municipaux, des milliers de protestataires réclament leur eau. Rien ne va plus. Finalement, le gouvernement local accepte de revoir les termes du contrat avec Bechtel. La Coordinadora lui donne trois semaines pour agir.

Février 2000. Le gouvernement n'a pas encore levé le petit doigt. Les tarifs de l'eau ne changent pas et les citoyens refusent de payer leurs factures à Bechtel. La Coordinadora annonce que, le 4 février, une manifestation aura lieu sur la place centrale de la ville afin de rappeler au gouvernement sa promesse. Ce jour-là, les autorités locales ont prévu le coup : 1 000 policiers et soldats armés prennent le contrôle du centre de la ville. Pour les citoyens de Cochabamba, c'est une déclaration de guerre. Non seulement le gouvernement ne respecte pas sa promesse, mais il protège Bechtel. Pendant deux jours, le centre-ville de Cochabamba est un champ de bataille : d'un côté les forces de l'ordre avec leur gaz lacrymogène, et de l'autre, les citoyens avec leurs lance-pierres. Deux jours et plus de 175 blessés plus tard, le gouvernement annonce que le prix de l'eau baissera pendant six mois. C'est une première victoire pour les citoyens.

Entre-temps, les membres de La Coordinadora obtiennent une copie du fameux contrat entre le gouvernement bolivien et Bechtel. On peut y lire que Bechtel a négocié des profits garantis de 16 % par an. Les citoyens de Cochabamba découvrent à quel point l'entente leur est néfaste. Aussi réclame-t-on désormais l'annulation pure et simple du contrat avec Bechtel et le retour de l'eau sous contrôle public. La Coordinadora consulte la population en posant cette unique question : « Est-ce que le contrat de Bechtel devrait être annulé ? » Soixante mille personnes participent au sondage. Quatre-vingt-dix pour cent d'entre elles répondent oui. Voilà un bon prétexte pour organiser, en avril 2000, une dernière bataille, *La Ultima Batalla*.

Le 4 avril, les manifestations populaires paralysent, pour une troisième fois en quatre mois, la ville de Cochabamba. Après deux jours de siège, le gouvernement se décide enfin à rencontrer les leaders de La Coordinadora. Cette rencontre est un guet-apens pour arrêter ces derniers et, pense-t-on, mettre un terme aux protestations. La situation est extrêmement tendue. Dix mille personnes manifestent dans les rues de la ville. On craint une autre répression policière. Finalement, parce qu'il commence à envisager l'éventualité d'une guerre civile, le gouvernement accepte de briser son contrat avec Bechtel en avril 2000. Victoire.

Novembre 2001. Bechtel poursuit le gouvernement de la Bolivie pour un montant de 25 millions de dollars pour bris de contrat. « Vingt-cinq millions de dollars américains représentent les revenus que fait Bechtel en une demi-journée. En Bolivie, c'est le coût annuel pour l'embauche de 3 000 médecins ruraux ou 12 000 enseignants dans les écoles publiques, ou le branchement de 125 000 familles qui n'ont pas accès au service d'approvisionnement en eau[2]. »

À qui appartient l'eau ?

Même s'il reste encore sur la Terre de bonnes réserves d'eau potable, celles-ci diminuent, leur qualité est de plus en plus mauvaise et, tranquillement, plusieurs pays commencent à se laisser tenter par la privatisation. L'histoire du combat des citoyens de Cochabamba pourrait

---

[2] *Ibid.*

35

très bien être l'un des premiers signes des « grandes guerres de l'eau » qui nous attendent.

Maude Barlow, activiste et coauteure du livre *Blue Gold : The Fight to Stop the Corporate Theft of the World's Water*[3], écrit : « La révolte bolivienne de l'eau a eu un énorme impact sur le combat mondial pour le droit à l'eau. Plusieurs personnes réalisent que si un des peuples les plus pauvres et privés de droits a pu lever le poing devant la Banque mondiale et Bechtel, alors tout le monde peut le faire. Les exemples d'héroïsme dans la lutte du peuple bolivien sont puissants et ont été exposés encore et encore partout dans le monde. »

Sources :

Democracy Center
www.democracyctr.org

Eau Secours !
www.eausecours.org

Le rapport *Bechtel* : *Profiting from Destruction* disponible sur :
www.corpwatch.org

---

[3] Maude Barlow et Tony Clarke, *Blue Gold : The Fight to Stop the Corporate Theft of the World's Water*, McClelland & Stewart, 2002. (Aussi en version française aux Éditions du Boréal sous le titre *L'or bleu*.)

Boeing, le pirate de l'air
Siège social : Chicago (Illinois)
Chiffre d'affaires (2002) : 54,069 milliards
de dollars

La bonne gestion d'entreprise, dans le sens le plus
profond du terme, est un engagement acharné
et constant de faire la bonne chose.
PHIL CONDIT, PDG de Boeing

Nous marquons le siège social mondial de Boeing
avec notre propre sang afin de rappeler à nous-
mêmes et aux autres le coût en vies humaines
que représente Boeing – une entreprise de guerre.
DANNY MULLER,
porte-parole de Voices in the Wilderness

1910. William Boeing, un entrepreneur qui a fait fortune dans l'industrie forestière, assiste au premier Los Angeles Air Meet, un événement historique qui regroupe la crème des aviateurs et où des milliers de spectateurs peuvent, pour la première fois de leur vie, voir l'homme voler. L'homme d'affaires s'intéresse à cette nouvelle technologie qu'est l'aviation (seulement cinq ans auparavant, les frères Wright effectuaient leur premier vol). Pendant les cinq années suivantes,

Boeing est hanté par le voyage dans les airs. Il décide donc d'investir dans la construction d'un petit appareil plus pratique et confortable que ceux que l'on trouve à l'époque. Pour l'épauler dans cette aventure, il fait appel à George Conrad Westervelt, un ingénieur de la marine qui a suivi plusieurs cours d'aéronautique au MIT (Massachusetts Institute of Technology). La construction d'un premier appareil commence dans le hangar à bateaux de William Boeing. En 1916, avant la fin de la construction du premier appareil, Westervelt est appelé par les forces armées pour joindre les troupes en Europe. Boeing termine donc seul la construction de son appareil et, le 15 juillet 1916, après un premier vol réussi, il fonde sa compagnie de construction d'avions : Pacific Aero Products Company (qui est rebaptisée Boeing Airplane Company l'année suivante).

Machines de guerre

Boeing n'attend pas longtemps avant de tâter le marché de la guerre. Le premier contrat officiel de la compagnie arrive en 1917, lorsque l'armée américaine commande 50 aéroplanes Model C au jeune avionneur. C'est le début d'une grande aventure. Aujourd'hui installée à Saint Louis, la division des produits militaires de Boeing (Boeing Integrated Defense Systems) fabrique nombre de héros de guerre : le Unmanned Combat Air Vehicle (UCAV), l'hélicoptère de reconnaissance RAH-66 Comanche, les avions de combat F-15 et F-22 ainsi que toutes sortes de missiles servant à faire de beaux trous dans les méchantes nations…

Boeing fabrique aussi des avions civils. En 1927, l'entreprise fonde Boeing Air Transport (BAT), une division qui s'occupe du transport aérien civil. Cette même année, les premiers passagers commencent à voyager dans un avion, qui sert aussi pour le transport du courrier. C'est un succès. L'année suivante, Boeing sort de ses ateliers le Model 80, qui peut accueillir 12 passagers. C'est le tout premier avion de la compagnie à être conçu spécifiquement pour le transport de personnes. Aujourd'hui, presque toutes les lignes aériennes du monde possèdent des appareils Boeing, dont les très populaires gros-porteurs Boeing 737, 747 et 767.

Outre l'aviation militaire et civile, Boeing a aussi le nez fourré dans le monde de l'aérospatial. Si l'homme a pu marcher sur la Lune en 1969, c'est un peu grâce à Boeing, qui a fabriqué plusieurs parties de la fusée Apollo 11. En 1990, Boeing a été nommée maître d'œuvre dans la construction de la Station spatiale internationale (ISS).

Lorsque ça vole, Boeing n'est jamais bien loin…

Aujourd'hui, Boeing, c'est : la première entreprise en aérospatiale et le premier avionneur du monde, le plus grand exportateur des États-Unis, le plus grand contractant pour la NASA et le deuxième équipementier du Pentagone. Trois millions de passagers prennent place dans un avion Boeing chaque jour.

Les attentats du 11 septembre 2001, la guerre en Irak et tout ce qui pourrait éventuellement menacer la sécurité nationale des États-Unis représentent, pour Boeing, des occasions commerciales. Le gouvernement américain, depuis 2002, n'a cessé d'augmenter le budget pour la Défense, ce qui représente des retombées alléchantes pour les barons du joujou militaire, dont Boeing. Pour le budget 2004, l'équipement militaire commandé à Boeing par le gouvernement américain totalise plusieurs, plusieurs milliards de dollars.

Au cours de son existence, Boeing a empilé de nombreux dossiers noirs qui vont de la mauvaise gestion de ses rejets toxiques dans l'environnement à la discrimination raciale, en passant par l'espionnage industriel et le lobbying auprès des élus. Une belle feuille de route. Mais c'est parce que Boeing « profite de la guerre » qu'elle s'attire des pluies de critiques de la part d'activistes de tout poil. C'est un fait : quand ça va mal sur l'échiquier international, ça va bien pour Boeing.

Les combines de Boeing

Boeing tire un peu plus de 30 % de ses revenus des ventes internationales. Dans le domaine militaire, les exportations de Boeing poussent les États-Unis à réinvestir sans cesse dans des machines de guerre toujours plus sophistiquées, coûteuses, destructrices. Comment ? Commençons par dire que Boeing met d'abord au point ses bidules pour le compte de l'armée américaine. Une fois achetés par l'Oncle Sam, tous ces nouveaux hélicos, avions de combat et missiles sont vendus aux pays alliés : la France, le Canada, le Koweït, Israël, la Grande-Bretagne, etc. Lorsque, en fin de compte, tout le monde possède les mêmes technologies militaires, l'armée américaine réalise – ô surprise ! – qu'elle a perdu son avantage technologique. Elle doit donc dépenser davantage afin de renouveler son équipement avec ce qui se fait de mieux. Ainsi, « toute cette industrie militaire se nourrit en engageant les États-Unis dans une course aux armements contre elle-même[1]. »

Ces combines sont devenues une telle farce que, en certaines occasions, des appareils Boeing ont été vendus à d'autres pays avant même que le Congrès ait donné son aval. Ce genre de manigances a, dans le passé, plongé Boeing dans la controverse.

Bienvenue à Chicago

Juin 2001. Boeing, dont les quartiers généraux se trouvent depuis toujours à Seattle, annonce son intention de déménager à Chicago. Une excellente nouvelle pour cette ville et l'État de l'Illinois. Chicago a d'ailleurs offert d'alléchants incitatifs pour convaincre le géant de l'aéronautique de venir s'installer sur ses terres. À Seattle, où l'on a dépensé des millions de dollars pour construire les infrastructures (dont une autoroute) pour contenter Boeing, la nouvelle n'est pas très bien reçue. Qui plus est, le syndicat des travailleurs de l'entreprise, qui n'aurait été averti que quelques minutes avant l'annonce publique du déménagement, trouve l'attitude de son employeur plus que déplacée. Et si, à Seattle, c'est la grogne, à Chicago, le nouvel arrivant ne fait pas non plus l'unanimité.

[1] Kevin Martin, Tim Nafziger, Jeremy Shenk et Mark Swier, « Boeing Corporation, Airplane Manufacturer and Weapons Dealer Makes Controversial Move to Chicago », Z magazine, novembre 2001.

Immédiatement après l'annonce du déménagement de Boeing, la coalition anti-Boeing se forme à Chicago et entend bien manifester contre l'arrivée du géant de l'aéronautique. Malgré les protestations de cette coalition, qui réunit une dizaine de groupes environnementaux, des pacifistes et des militants pour les droits de l'Homme, Boeing va tout de même s'installer à Chicago. Mais ses nouveaux quartiers généraux sont fréquemment la cible de divers groupes pacifistes, et les manifestations devant l'édifice du 100 North Riverside se multiplient avant et pendant la guerre en Irak. En mars 2003, des protestataires commettent un geste de désobéissance civile non violente en bloquant l'entrée de l'édifice afin de dénoncer le rôle de Boeing dans la guerre en Irak. Le mois suivant, le groupe Voices in the Wilderness tache de sang l'édifice de Boeing. « Pendant que notre nation termine son opération "Choc et stupeur" et commence l'occupation de l'Irak, nous répliquons et aspergeons de notre sang les murs de cette machine de guerre. Nous marquons le siège social mondial de Boeing avec notre propre sang afin de rappeler à nous-mêmes et aux autres le coût en vies humaines que représente Boeing – une entreprise de guerre[2] », déclare alors Danny Muller, porte-parole de Voices in the Wilderness. Le 5 juin 2003, toujours à Chicago, plus d'une centaine de manifestants, qui participent à une marche pour marquer les 36 ans de l'occupation de la Palestine, s'arrêtent devant le siège social de Boeing, « le fabricant des hélicoptères

---

[2] Extrait d'un communiqué émis par Voices in the Wilderness.

Apache qui ont été utilisés dans les attaques contre le peuple palestinien[3] ».

Vers la démilitarisation du monde

Chaque année, il se dépense dans le monde quelque 780 milliards de dollars en armement[4]. Une poignée d'entreprises profitent de cette manne, dont Lockheed Martin, Boeing et Daimler Chrysler Aerospatial. Tous les pays du monde peuvent se payer des joujoux destructeurs à la fine pointe de la technologie, et ce, pour mieux se défendre contre d'éventuels envahisseurs. Dans l'histoire de l'humanité, des centaines de guerres ont contribué à sillonner la planète de frontières pour mieux séparer les peuples, les cultures, les religions, les couleurs de peau, les richesses. C'est d'abord pour protéger ces frontières, ces clôtures virtuelles, que chaque pays s'est doté d'une armée, nourrissant par la même occasion l'industrie de la guerre.

D'un autre côté, il se dépense dans le monde 238 milliards de dollars pour régler les problèmes humains et environnementaux. Imaginez simplement ce qui pourrait être fait si, dans une année, tous les gouvernements du monde décidaient d'investir l'argent de la guerre uniquement dans la paix et la réparation de cette planète qui fuit de partout. On ne peut prédire ce qui arriverait, puisqu'on ne l'a jamais essayé…

La démilitarisation est probablement la plus belle utopie que l'on puisse entretenir. Nombre de pacifistes voudraient un monde sans armes. En 2003, il

---

[3] *Ibid.*

[4] Tony Clark et Sarah Dopp, *Challenging McWorld*, Canadian Centre for Policy Alternatives, 2001.

se trouve encore bien peu de pays sans armée : le Costa Rica, l'Islande, Haïti et plusieurs petites îles tropicales… Des groupes pacifistes pensent depuis longtemps à des moyens pour démilitariser le monde et une première étape pour y arriver, c'est peut-être l'établissement de « zones de paix ». L'idée existe depuis les années 1970. « Une zone de paix peut avoir des dimensions diverses et être internationale, nationale, locale ou même person-nelle. Elle peut avoir diverses composantes humaines, des types de structures ou des objectifs à définir de cas en cas, mais toutes doivent représen-ter un engagement concret pour la paix[5]. »

Les gouvernements du monde ne feront pro-bablement jamais les premiers pas pour bâtir la paix, la vraie. L'enjeu est trop profond pour eux. C'est à chaque individu qu'incombe cette tâche. Chacun doit refuser la guerre sous toutes ses formes et refuser d'encourager les industries qui en tirent profit. Mais plus profondément encore, il faut accepter les différences entre les peuples, les religions, les cultures. En tant qu'humains, sommes-nous encore trop peu évolués pour accepter une telle idée ?

Sources :

Anti-Boeing Coalition
www.antiboeingcoalition.org

Démilitarisation.org
www.demilitarisation.org

Non-violence
www.nonviolence.org

---

[5] Christophe Barbey, « Zones de paix et non-militarisation », (www. demilitarisation.org).

Cargill, le colosse en coulisses
Siège social : Minneapolis (Minnesota)
Chiffre d'affaires (2002) : 50,826 milliards
de dollars

Nous sommes la farine de votre pain, le blé de vos nouilles, le sel de vos frites. Nous sommes le maïs de vos tortillas, le chocolat de vos desserts, l'édulcorant de vos boissons gazeuses. Nous sommes l'huile de votre vinaigrette, le bœuf, le porc et le poulet que vous mangez au souper. Nous sommes le coton de vos vêtements, la semelle de votre tapis et le fertilisant dans votre champ.

CARGILL

Si vous cherchez à comprendre pourquoi la mondialisation est si destructrice, vous n'avez pas besoin de regarder ailleurs que vers le géant invisible de l'alimentation, Cargill.

BREWSTER KNEEN, auteur de *Invisible Giant :
Cargill and Its Transnational Strategies*

1865. Conover (Iowa). William Wallace Cargill quitte sa famille au Wisconsin pour devenir propriétaire d'un entrepôt à grain installé à l'extrémité d'une ligne de chemin de fer. À cette époque, le réseau ferroviaire plonge furieuse-ment jusqu'au cœur des zones agricoles du Minnesota, du Dakota du Nord, du Dakota du Sud et du Montana. Cargill en profite pour installer, en bordure des chemins de fer, une foule d'élévateurs à grain, devenant ainsi un acteur de premier plan dans la distribution du grain aux États-Unis.

En 1890, la compagnie de W. W. Cargill pos-sède 71 élévateurs et entrepôts à grain, 28 entre-pôts de charbon et 2 meuneries au Minnesota. Rapidement, la compagnie s'impose dans plu-sieurs secteurs d'activité liés à l'industrie du grain et à celle du charbon. En 1929, Cargill fraye avec le monde de l'exportation en vendant et en transportant du grain à l'étranger. Pendant de nombreuses années, le transport de denrées est le fer de lance de la compagnie. Cargill ouvre, en 1930, des bureaux en Hollande, au Canada et en Argentine. Le reste de l'histoire n'est qu'une suite d'acquisitions, d'alliances, d'expansions, et ce, dans toutes les sphères de l'alimentation brute.

En 2003, Cargill n'est plus seulement le roi incontesté de l'import-export dans le secteur ali-mentaire, mais concentre surtout ses activités dans la production de produits et services ali-mentaires « à valeur ajoutée », suivant la mission de la compagnie qui est de « nourrir les gens ».

Aujourd'hui, Cargill, c'est : la plus grosse com-pagnie privée de la planète, la quatrième plus grande entreprise alimentaire des États-Unis (et la septième du monde), 97 000 employés disper-sés dans 59 pays, et 178 usines qui fabriquent aussi bien de la nourriture pour bestiaux que des plastiques… Cargill touche pratiquement tous les domaines de l'industrie alimentaire. Aux États-Unis, c'est le premier exportateur de maïs et de soja, le deuxième fabricant de nourriture pour animaux, le deuxième producteur de sel, le deuxième transformateur de dindes, le quatrième transformateur de bœufs et le quatrième producteur d'éthanol. Cargill possède des centres de commerce de métaux bruts à Kiev, à Istanbul et à Mumbai, d'énormes poulaillers en Thaïlande, le plus grand terminal de jus du monde à Amsterdam, des mines de sel à Cleveland, des minoteries à Liverpool et en Argentine, des usines de transformation d'agrumes en Floride, des plantations de coton au Zimbabwe, etc. La liste est longue. Si longue que cela en est inquiétant.

Et pourtant, parlez de Cargill aux passants dans la rue, et l'on vous lancera assurément un regard plein de points d'interrogation. C'est un fait : peu de gens soupçonnent l'existence de cette entreprise. C'est dire la distance que l'on a prise avec les aliments que nous mangeons quotidiennement… Alors qu'il n'y a pas encore un siècle, on vivait des produits de fermes ou d'élevages locaux, aujourd'hui, le moindre fruit ou grain de blé effectue des milliers de kilomètres en bateau, en avion, en camion, atterrit dans un centre de transit afin d'être trié et acheminé à une usine de transformation pour, finalement, aboutir dans notre assiette sous une forme ou sous une autre… Le drame, c'est qu'on a laissé aux mains d'industriels – et de leur logique capitaliste – la responsabilité de s'occuper d'une chose aussi vitale que la nourriture…

La façon Cargill

C'est pour faire la lumière sur les côtés pervers de la prédominance de Cargill dans l'industrie alimentaire que Brewster Kneen a écrit le livre intitulé *Invisible Giant – Cargill and its Transnational Strategies*[1]. Expert ès Cargill et ex-agriculteur, Kneen explique que le secret de Cargill, c'est d'avoir suivi le bon vieux dicton « l'union fait la force ! » Ainsi, si Cargill n'était jadis qu'une banale entreprise de manutention et de transport d'aliments en gros, elle est devenue, au cours des dernières décennies, un incontournable colosse grâce à une simple idée lumineuse : la coentreprise. « Quand j'ai commencé à m'intéresser à Cargill, raconte Brewster Kneen, j'ai été stupéfié de voir le nombre de coentreprises que Cargill a formées avec des fermiers et des coopératives partout aux États-Unis et dans le monde. Je ne sais pas encore exactement combien il y en a[2]. »

Cargill s'est rendu compte qu'il était plus que profitable de multiplier les alliances avec de petits ou de gros producteurs afin d'étendre son réseau rapidement, sans avoir à s'emmerder avec l'implantation d'infrastructures imposantes et coûteuses. Pour ces producteurs associés, le poids de Cargill rend ces alliances intéressantes puisque le géant garantit l'achat du produit brut. Mais, d'un autre côté, le roi de la denrée ne négocie rien en ce qui concerne le prix d'achat de ce même produit. « Les fermiers, ajoute Brewster Kneen, en ne vendant qu'à Cargill, deviennent

---

[1] Brewster Kneen, *Invisible Giant : Cargill and its Transnational Strategies*, 2e édition, Pluto Press/UBC Press, 2002.

[2] Extrait d'une entrevue accordée à l'auteur par Brewster Kneen le 19 mai 2003.

dépendants d'un seul client qui fixe le prix d'achat[3]... » Ainsi, une coentreprise entre Cargill et un petit producteur de maïs n'engendre pratiquement aucun investissement pour la méga-entreprise, mais lui permet d'acheter (à meilleur coût et selon ses normes) l'entièreté de la récolte de ce dernier. Cette récolte sera ensuite transformée, par une autre coentreprise de Cargill, en un produit à valeur ajoutée, qui sera finalement vendu sur le marché à un prix plus élevé... À chaque étape, Cargill s'en met plein les poches. C'est grâce à ce modèle que l'entreprise a pu devenir la grande marionnettiste de l'industrie alimentaire, en contrôlant le prix des denrées, en imposant ses règles et en convainquant de petits producteurs d'accepter de vendre le fruit de leur labeur à bas prix, plutôt que de vivoter en étant indépendants. « Les agriculteurs n'auront d'autres choix, dans le futur, que de prendre ce que Cargill est prête à leur donner[4]. »

Brewster Kneen publiait, en avril 2003, un article dans le magazine *The Ecologist*[5] où il vulgarise « la chaîne alimentaire façon Cargill ». Il se demande alors comment Cargill arrive-t-elle à s'imposer à chaque étape de la chaîne d'approvisionnement agricole. On me permettra de résumer ici l'essentiel de son exposé :

Un fermier sous contrat avec Cargill achète ses semences de Renessen (une compagnie formée par l'alliance de Monsanto et de Cargill) ;

le fermier achète ensuite son herbicide à Monsanto et son fertilisant à Cargill ;

---

[3] *Ibid.*
[4] Brewster Kneen, « Size is Everything », *The Ecologist*, avril 2003, p. 48-51.
[5] *Ibid.*

le fermier signe un contrat afin de garantir la livraison de sa récolte à Cargill, selon un certain coût et des normes bien précises, imposées par Cargill ;

le fermier vend sa récolte à une usine de Cargill ;

Cargill la transforme en moulée pour animaux ;

Cargill transporte ensuite, par bateau, la moulée en Thaïlande ;

là-bas, la moulée sert à nourrir la volaille, qui appartient à un autre producteur (toujours sous contrat avec Cargill) ;

Cargill achète la volaille, la transforme, la cuit et l'emballe ;

Cargill achemine la volaille à valeur ajoutée en Europe, où elle est vendue à un McDonald's ou à un supermarché.

« Cargill ne travaille pas vraiment dans l'industrie alimentaire. Elle négocie des commodités agricoles comme des matériaux bruts qui peuvent être déconstruits et reconstruits en produits à valeur ajoutée qui profitent à l'entreprise[6] », affirme Brewster Kneen. Dit de cette façon, on sent tout de suite la froideur avec laquelle le colosse de l'alimentation manipule, gère, crée, fabrique et prépare les aliments qui finiront dans notre estomac.

Pour bien fonctionner dans un tel modèle industriel, Cargill doit adopter des processus de production stricts et éliminer les imprévus. Pour ce faire, l'entreprise fait bon usage des pesticides,

---

[6] Extrait d'une entrevue accordée à l'auteur par Brewster Kneen le 19 mai 2003.

encourage les monocultures, asperge ses champs de fertilisants chimiques afin de maximiser le rendement des récoltes et d'augmenter ses profits. Dans un domaine comme l'agriculture, encore soumis aux caprices de la nature, toutes ces tactiques cherchent à faire entrer une sphère naturelle dans un modèle capitaliste carré. Irrémédiablement, il y a des ratés.

Lorsqu'il parle de Cargill, Brewster Kneen adopte presque un discours guerrier. Pour lui, Cargill est l'ennemi : « Premièrement, il faut comprendre qui ils sont et réaliser l'envergure de leur contrôle. Je pense que les gens trouveront alarmant de constater qu'ils contrôlent nos lignes d'approvisionnement. N'importe quelle bonne armée sait qu'il n'est jamais souhaitable que l'ennemi prenne le contrôle des lignes d'approvisionnement[7]. »

Pour une agriculture locale

À qui profite le modèle de Cargill ? À Cargill. De plus en plus de consommateurs cherchent à exercer un certain contrôle sur ce qu'ils mangent. C'est pourquoi, un peu partout (au Canada notamment), des initiatives locales s'organisent afin de contrer les Cargill de ce monde. En premier lieu, l'agriculture soutenue par la communauté (ASC). L'idée de l'ASC ? Des consommateurs se regroupent et s'engagent à acheter la production d'une ferme biologique en particulier. Au Québec, près de 50 fermes sont ainsi membres

[7] Ibid.

du réseau d'ASC mis sur pied par l'organisme Équiterre. Selon Brewster Kneen, encourager de telles solutions de remplacement fait partie des choses que peuvent faire les consommateurs pour se débarrasser du modèle pernicieux de Cargill.

Pour conclure, une petite anecdote amusante. En 2003, le gouvernement américain confie à Dan Amstutz, un ancien haut placé de Cargill, la tâche de diriger l'effort de reconstruction de l'agriculture en Irak, histoire de repartir sur de bonnes bases après que le sol du pays ait été passablement labouré par les soldats de George W. Bush. « Donner à Dan Amstutz la respon-sabilité de reconstruire l'agriculture en Irak, c'est comme installer Saddam Hussein à la tête de la Commission des droits de l'Homme, dit alors Kevin Watkins, directeur chez Oxfam. Cet homme est le mieux placé pour faire avancer les intérêts des compagnies de grain américaines et détruire le marché irakien, mais singulièrement mal équipé pour diriger l'effort de reconstruction d'un pays en voie de développement[8]. »

Source :

Équiterre
www.equiterre.qc.ca

[8] Heather Stewart, « Oxfam Criticizes Amstutz Appointment for Iraq, *The Guardian*, 28 avril 2003.

Citigroup, l'usurière
Siège social : New York (New York)
Chiffre d'affaires (2002) : 100,789 milliards de dollars

> *Nous aspirons à nous faire connaître comme une entreprise au service de sa communauté, jouant un rôle de leader dans toutes les communautés où nous sommes implantés dans le monde, et faisant de chacune de celles-ci un meilleur endroit où vivre.*
>
> CITIGROUP, Rapport annuel (2002)

> *L'élément le plus inquiétant d'un Citigroup, ou d'un semblable titan financier, est la menace qu'il représente pour la démocratie.*
>
> RUSSEL MOKHIBER ET ROBERT WEISSMAN, auteurs de *Corporate Predators*

Une banque

16 juin 1812. La City Bank of New York ouvre ses portes et se met à proposer ses services aux marchands de la région. Elle fusionne rapidement avec d'autres banques et grossit au rythme de la révolution industrielle américaine. En 1894, elle est déjà la plus grande banque des États-Unis. En 1904, elle lance les premiers chèques de

voyage. En 1915, elle est la banque internationale la plus puissante du monde, avec ses nombreuses ramifications en Asie, au Brésil, en Inde et en Europe. En 1919, elle est la première banque américaine à posséder des actifs de 1 milliard de dollars. En 1965, elle commence à proposer des cartes de crédit. C'est en 1976 qu'elle prend le nom de Citibank.

Un assureur

1er avril 1864. Chaque membre d'un groupe d'hommes d'affaires allonge 200 000 dollars afin de lancer une nouvelle compagnie d'assurances : Travelers. Celle-ci adoptera le parapluie comme image commerciale, métaphore de la protection contre les « jours pluvieux ». Travelers commence par offrir de l'assurance-vie. En 1897, elle sera la première compagnie d'assurances à introduire l'assurance-automobile, ce qui s'avère fort pratique, étant donné la très relative fiabilité des véhicules de l'époque. Comme Citibank, Travelers ira de succès en succès...

Un bon plan

8 octobre 1998. Citibank (rebaptisée Citicorp) fusionne avec Travelers, créant du même coup le premier groupe financier du monde, Citigroup, offrant des services intégrés d'assurance et des services financiers. Un seul problème : une loi fédérale interdit les mariages entre les banques et les compagnies d'assurances. Peu importe, les lois sont faites pour être transgressées, après tout ! Citigroup, qui a jusqu'alors milité pour que

cette loi reste en vigueur, devient, du jour au lendemain, le chantre de la « modernisation du monde financier[1] ». Les deux groupes réussissent à faire modifier la loi grâce à une proposition pour une réforme de la législation connue sous le nom de H.R. 10. « H.R. 10 n'a eu qu'une seule conséquence : laisser Citigroup conserver Travelers[2]. »

Aujourd'hui, Citigroup, c'est : 250 000 employés dans le monde entier, 200 millions de titulaires de compte, des profits de 15,3 milliards de dollars en 2002, 61 milliards de dollars d'actifs en gestion, et l'une des 10 entreprises les plus rentables du monde. Citigroup est une multinationale qui gère l'argent de la classe moyenne moscovite, tout comme ceux du chômeur argentin. Dans le marché des cartes de crédit, Citigroup compte quelque 120 millions de Citi Cards en opération. Citigroup, c'est des chiffres, des chiffres, et encore des chiffres… Et malgré leur apparence fort peu affriolante, il faut reconnaître que ces damnés chiffres mènent le monde.

Dis-moi qui tu finances…

Avec l'argent du petit épargnant mondial entre les mains, Citigroup finance des entreprises et des projets qui, espère-t-on, rapporteront des intérêts à ce même petit épargnant.

17 octobre 2000. Rainforest Action Network (RAN), un organisme qui cherche à protéger les

---

[1] Russel Mokhiber et Robert Weissman, *Corporate Predators, The Hunt for Mega-profits and The Attack on Democracy*, Monroe, Common Courage Press, 1999, p. 43.

[2] Déclaration de Jim Shutz dans Todd Davenport, James Record, Ryan Vaughan et Greyson Williams, « Deals of the Decade », *SNL Financial*, 2000.

forêts tropicales, lance officiellement sa campagne contre Citigroup. On demande au géant financier de bannir tout financement de projets pouvant avoir un impact négatif sur les forêts menacées. Citigroup donne aux destructeurs d'environnement les moyens de leurs ambitions. En 2000, le groupe est le premier prêteur de fonds pour la construction de pipelines et pour l'industrie du charbon, ainsi que le deuxième investisseur en importance dans les industries minière et forestière.

Avant de lancer sa campagne, RAN a quand même pris soin d'exposer ses requêtes à l'assemblée annuelle des actionnaires de Citigroup, mettant l'accent sur l'implication du géant financier dans l'industrie des combustibles fossiles et l'industrie forestière. Citigroup n'ayant pas répondu aux plaintes de l'organisme, ce dernier se devait de mettre en branle son plan d'action. Peu après le lancement de la campagne, habilement baptisée *Not With My Money*, des professeurs, des étudiants et du personnel de l'Université Yale décident de retirer leurs avoirs des mains de Citigroup. Cent mille dollars disparaissent ainsi des coffres de la banque en un claquement de doigts. L'exemple va bientôt être suivi par bien d'autres épargnants.

L'idée de RAN était simple. S'il est difficile d'alerter l'opinion publique lorsque des entreprises pétrolières ou forestières détruisent nos écosystèmes, alors mieux vaut changer de stratégie et s'attaquer à la source du problème : viser les grands prêteurs d'argent de ce monde. Ces gredins-là sont bien connus du grand public, qui peut facilement protester en retirant ses avoirs de l'institution financière. Suivant cette stratégie, Citigroup s'avérait alors être une cible de choix parce qu'elle est la plus grande banque de la planète et que les projets qu'elle a financés dans le passé sont hautement discutables : un projet de forage pétrolier dans la rivière Orinoco Delta au Venezuela (2,2 milliards de dollars), la construction d'un pipeline en Équateur, au Cameroun, etc. Citigroup est aussi un bailleur de fonds majeur de l'industrie forestière, celle-là même qui défriche actuellement de façon inquiétante une partie de la forêt amazonienne.

15 avril 2003. Au bout de deux ans de moyens de pression, des discussions sont finalement entamées entre RAN et Citigroup. Les deux parties conviennent d'un cessez-le-feu, le temps d'établir un plan qui les satisferait. On attend la suite.

Vers l'investissement responsable

Le conflit entre RAN et Citigroup est un beau prétexte pour parler d'un phénomène relativement nouveau, mais qui prend de plus en plus d'ampleur : l'investissement responsable. Désormais, plusieurs institutions financières proposent à leur clientèle des fonds dits « éthiques » ou, plutôt, des fonds que l'on investit uniquement dans des entreprises affichant un bon dossier en ce qui concerne le respect de l'environnement, les droits des travailleurs, etc. Plusieurs gestionnaires de fonds se spécialisent même exclusivement dans ces types de placements. Si l'on ne peut changer le monde capitaliste, on peut toutefois, en tant que petit épargnant, décider à quoi va servir son argent. Il s'agit, en somme, d'utiliser les armes du capitalisme pour combattre le capitalisme sauvage...

Depuis quand les banques ont-elles des principes ?

Depuis 2002. Année où l'International Finance Corporation[3] créait une série de principes visant à réduire les risques environnementaux et sociaux liés au financement de projets. Ces neuf principes, connus sous le nom de « Principes d'Équateur », précisent, entre autres, qu'une banque ne doit pas investir dans un projet qui est reconnu comme étant un agresseur environnemental ou social. D'autre part, si le projet d'un emprunteur ne répond pas aux exigences des Principes d'Équateur, celui-ci sera encouragé à trouver des solutions pour reprendre le droit chemin. Ces principes ne concernent que les projets demandant un capital total de 50 millions de dollars et plus. Pour adopter les Principes d'Équateur, les banques n'ont pas à signer d'entente. Chaque banque qui adopte ces principes déclare simplement qu'elle a mis en place ou va mettre en place des politiques internes et des processus qui se conforment aux Principes d'Équateur. On fait donc appel à la bonne volonté des banques. On y croirait presque...

Citigroup fait partie de la dizaine de banques qui ont adopté les Principes d'Équateur. Mais

---

[3] Membre de la Banque mondiale, la IFC fait la promotion de l'investissement privé responsable dans les pays en voie de développement comme une façon de réduire la pauvreté et d'améliorer la qualité de vie.

tous ne sont pas d'avis que ces principes répondent vraiment à la sempiternelle question : « Est-ce que les banques devraient avoir le droit d'investir dans des projets qui détruisent l'environnement et ne respectent pas les droits de la personne ? » De plus en plus d'activistes croient que les Principes d'Équateur sont bidons : « Ces principes sont une preuve que les banques sentent la pression des groupes environnementaux partout dans le monde, dit Ilyse Hogue de RAN. Malheureusement, les Principes d'Équateur ne feront rien pour empêcher les banques de continuer à financer les compagnies pétrolières ou forestières qui expulsent des gens de leur maison et détruisent les forêts tropicales dans des pays comme l'Équateur[4]. »

Sources :

Rainforest Action Network
www.ran.org

Groupe Investissement Responsable
www.investissementresponsable.com

Principes d'Équateur
equatorprinciples.ifc.org

---

[4] Communiqué émis par Rainforest Action Network (RAN) le 3 juin 2003.

Coca-Cola, l'arroseur arrosé
Siège social : Atlanta (Georgie)
Chiffre d'affaires (2002) : 19,564 milliards
de dollars

> *Que vous soyez un étudiant aux États-Unis*
> *qui apprécie le goût rafraîchissant de Coca-Cola,*
> *une femme en Italie qui prend sa pause-thé,*
> *un enfant au Pérou qui demande un jus*
> *ou un couple en Corée qui achète de l'eau*
> *embouteillée après une séance de jogging,*
> *nous sommes là pour vous.*
>
> Coca-Cola

> *Ne buvez pas idiot, buvez engagé !*
> Slogan de la boisson Mecca-Cola

8 mai 1886. Atlanta (Georgie). Dr John Pemberton, pharmacien de son état, concocte une boisson sirupeuse non gazéifiée censée receler des propriétés toniques, bénéfiques pour les nerfs et le cerveau. Ces affirmations pour le moins charlatanesques peuvent probablement s'expliquer par la présence, jusqu'en 1905, d'extraits de feuilles de coca (ingrédient de base de la cocaïne) dans ce mélange brunâtre. Commercialisée sous le nom de

Coca-Cola, la boisson est d'abord vendue à la pharmacie Jacob's, une des plus importantes d'Atlanta. Très rapidement, ce tonique aux mille et une vertus devient une des boissons les plus populaires en Amérique.

Au début du XXe siècle, Coca-Cola commence à vendre sa boisson à des embouteilleurs indépendants, qui la distribuent aux quatre coins des États-Unis et au Canada. Encore aujourd'hui, ce procédé permet à la compagnie d'atteindre ses 6 milliards de consommateurs et d'imposer son élixir brun partout dans le monde, du *pueblo* le plus reculé du Mexique jusqu'à un café Internet de Reykjavík. L'embouteillage est toujours assuré par des entreprises locales, parfois indépendantes, parfois contrôlées par Coca-Cola. Les embouteilleurs sont donc de petits contribuables locaux, « des employeurs, qui achètent des produits et services locaux, de bons voisins et, bien sûr, des producteurs du breuvage le plus populaire du monde[1] ». C'est en partie grâce à ce réseau que, année après année, Coca-Cola reste toujours le n° 1.

Aujourd'hui, Coca-Cola, c'est : un nom qui vaut 69,637 milliards de dollars et quelque 300 breuvages dont des boissons gazeuses (Coke, Sprite, Cherry Coke, Vanilla Coke), des jus (Fruitopia), des boissons pour les sportifs (Powerade) et de l'eau embouteillée (Dasani est la deuxième marque d'eau embouteillée la plus connue du monde). Coca-Cola propose une boisson pour étancher la soif de chaque humain sur la Terre. Et

---

[1] Extrait de documents commerciaux de Coca-Cola.

dans un contexte de réchauffement climatique et de raréfaction de l'eau potable, des soifs à étancher, on en trouvera de plus en plus.

Un peu partout, on boycotte Coca-Cola pour différentes raisons. Récemment, un embouteilleur Coca-Cola a vidé des puits d'eau potable à Plachimada, en Inde. Boycott. Une histoire semblable s'est déroulée au Salvador, où un autre embouteilleur a aussi épuisé les ressources d'eau de la région où il était installé. Boycott. Coca-Cola est également poursuivie en justice par Sinaltrainal, le syndicat colombien de l'alimentation et des boissons. On accuse l'embouteilleur colombien de Coca-Cola d'avoir payé des paramilitaires pour assassiner, en 1996, le leader du mouvement syndical de cette usine. L'histoire a fait le tour du monde et révolté plusieurs organismes militant pour les droits humains. Le président des Teamsters, James P. Hoffa, a même déclaré : « Coca-Cola doit reconnaître que l'assassinat et l'abus des travailleurs sont plus qu'un problème de marketing. » Boycott. Plus près de nous, Coca-Cola est critiquée pour ses contrats d'exclusivité concernant la distribution de boissons dans les universités (à l'UQÀM, notamment). Boycott...

Buvez engagé !

Octobre 2002. Tawfik Mathlouthi, un homme d'affaires tunisien habitant Paris, est fâché contre l'attitude impérialiste des États-Unis. Le conflit en Irak n'est pas encore commencé, mais, après les attentats du 11 septembre 2001, le président américain n'a qu'une seule expression en bouche : combattre l'Axe du Mal. Un terme plutôt vague qui veut désigner les islamistes terroristes fondamentalistes du Proche-Orient. Un terme qui finit toutefois par englober, pour de plus en plus d'Américains, le peuple musulman au grand complet. Simplification américaine chronique. Dans l'imaginaire collectif, les musulmans sont tous des terroristes sanguinaires, arriérés et dangereux. Bien qu'il soit un homme d'affaires, Tawfik Mathlouthi n'est ni sanguinaire, ni arriéré, ni dangereux. Mais il est fâché. Il décide donc de mettre son talent d'entrepreneur à profit afin de s'opposer à cet impérialisme américain qui, pour lui et beaucoup d'autres musulmans, est malsain. L'homme décide donc de lancer un cola arabe : Mecca-Cola.

Lorsque Mathlouthi lance Mecca-Cola en France (principalement dans les marchés et épiceries halal), c'est un succès immédiat. Mecca-Cola, c'est davantage qu'une boisson brunâtre plutôt sucrée et aucunement nourrissante, c'est un cola militant. En buvant Mecca-Cola, on endosse une cause : celle de l'antiaméricanisme. Le slogan de la nouvelle boisson élimine d'ailleurs tout doute sur la question : « Ne buvez pas idiot, buvez engagé ! » Cette stratégie de marketing politique fonctionne à merveille. Elle touche une corde sensible de la population arabe musulmane : l'appartenance à un groupe. Alors que les grands entrepreneurs diffusent un message global ne tenant pratiquement plus compte de la diversité culturelle, Mecca-Cola se démarque en capitalisant exclusivement sur le sentiment d'appartenance du peuple musulman. Si on est musulman, on doit boire Mecca-Cola. Et ça fonctionne.

En avril 2003, le journal *La Presse* rapporte que les ventes de Mecca-Cola ont atteint les 4,5 millions de bouteilles de 1,5 L depuis son lancement. Rapidement, Mecca-Cola s'est exporté ailleurs qu'en France (Pakistan, Arabie Saoudite). Plusieurs autres pays seront bientôt arrosés de ce cola engagé : la Syrie, la Libye, le Liban, le Yémen, l'Irak, l'Iran... On pense même exporter le breuvage en Amérique ! En parallèle, d'autres colas cent pour cent arabes font leur apparition dans les pays musulmans : Arab-Cola est lancé quelques mois après Mecca-Cola, et Zamzam Cola, une boisson gazeuse iranienne existant depuis 1979, voit ses ventes augmenter considérablement. Le consumérisme engagé s'empare des nations musulmanes, au grand dam de Coca-Cola, pour qui 80 % de l'expansion se fait en dehors des États-Unis depuis cinq ans.

Ces produits de remplacement arabes semblent inquiéter Coca-Cola, qui a publié une liste de « rumeurs » qui circulent à son sujet. Pour la société, la première « rumeur » à enrayer est celle disant que « boycotter Coca-Cola, c'est protester contre l'Amérique et la politique étrangère américaine ». Le problème, c'est que des milliers de musulmans ne boycottent pas Coca-Cola, ils achètent une autre marque de boisson gazeuse qui a le mérite d'endosser leurs valeurs les plus profondes. Malheureusement, être la marque la plus connue du monde, et de surcroît américaine, est une épine dans le pied du géant du breuvage sucré. Pire, les efforts de marketing de Coca-Cola risquent fort de se retourner contre elle-même dans les pays du Proche-Orient. C'est connu, la meilleure propagande devient inefficace lorsque son message s'éloigne trop de la réalité. Pour les musulmans, Coca-Cola représente l'*american way*. Et l'*american way*, c'est le *wrong way*. Difficile de séduire dans un tel contexte.

Si, par le passé, de nombreux petits producteurs de boissons gazeuses ont dû fermer leurs portes parce qu'ils ne pouvaient concurrencer les géants sur l'échiquier mondial, peut-être que des stratégies marketing basées uniquement sur la fierté et l'identité propre d'un peuple pourraient faire mentir les statistiques. Et sur ce terrain, les bonzes du cola ne peuvent rien faire.

Acheter des produits locaux est encore un beau pas en avant pour court-circuiter les efforts d'une mondialisation mal comprise. Le succès du Mecca-Cola et de sa stratégie de marketing ouvertement engagée ne peuvent que créer un effet dominos et donner des idées à d'autres entrepreneurs intéressés par les solutions de remplacement des grandes marques américaines. Dans le même ordre d'idées, peut-être verrons-nous apparaître sous peu des restaurants MecqueDonald's ? Succès garanti !

Sources :

Mecca-Cola
www.meccacola.com

Coke Watch
www.cokewatch.org

Costco, la colonisatrice
Siège social : Issaquah (Washington)
Chiffre d'affaires (2002) : 37,99 milliards
de dollars

> *En matière de gestion, tous nos gestionnaires ont*
> *suivi des formations sur l'éthique et le leadership,*
> *et sont continuellement sensibilisés*
> *à nos rigoureuses normes d'honnêteté et d'intégrité.*
> JIM SINEGAL et JEFFREY BROTMAN,
> rapport annuel (2002)

> *Une catastrophe Costcologique.*
> TROY SKEELS, journaliste

15 septembre 1983. Seattle (Washington). Un club-entrepôt ouvre ses portes dans la 4e Avenue Sud. Pour bénéficier de prix avantageux sur des articles de qualité, le consommateur doit devenir membre du club en payant une cotisation annuelle de 25 $. Une recette gagnante. Tout est conçu pour offrir les prix les plus bas en ville : les marges brutes se situent entre 9 et 11 % (alors que les autres détaillants préfèrent des marges de 25 %), le paiement des marchandises se fait en argent liquide (les cartes de crédit n'étant pas acceptées afin d'éviter d'investir dans un

coûteux système de gestion), les inventaires sont limités à 3 500 produits[1] (que l'on essaie d'écouler le plus rapidement possible), on y vend des articles de marque afin d'éviter les dépenses publicitaires visant à mousser la qualité d'un produit, les heures d'ouverture sont de huit par jour afin d'économiser sur le coût de la main-d'œuvre[2] et, surtout, aucun sou n'est dépensé afin de rendre l'établissement visuellement plus attrayant.

Ce club des mille et un achats, c'est Costco. Les deux fondateurs sont Jim Sinegal et Jeffrey Brotman. Le premier connaît bien le concept des clubs-entrepôts ; il a été vice-président aux opérations chez Price Club et, avant cela, a travaillé 23 ans pour FedMart[3]. Son expérience dans le commerce au détail servira à bâtir le concept sur lequel repose Costco. Brotman, quant à lui, était auparavant propriétaire d'une chaîne de vêtements qui générait des ventes annuelles de 12 millions de dollars. Outre ce premier magasin à Seattle, deux autres Costco voient le jour en 1983 : un à Portland (en octobre) et un autre à Spokane (en décembre). Afin de rester sur la route du succès, il est impératif pour Costco d'ouvrir un grand nombre d'entrepôts et de ventiler ainsi sur plusieurs établissements ses coûts fixes d'administration. À la fin de sa première année d'existence, Costco compte déjà sept clubs-entrepôts, quelque 75 000 membres et des ventes

---

[1] Cent vingt-cinq mille produits aujourd'hui, ce qui est toujours relativement peu lorsqu'on considère la vastitude des établissements.

[2] « Costco Wholesale », *2001 Warehouse Club Industry Guide*, rapport publié par Warehouse Club Focus, Foxboro (Massachussetts), 2001.

[3] Ancêtre de Price Club, disparu aujourd'hui.

atteignant 102,4 millions de dollars. La folie consommatrice s'empare des clients qui sortent des Costco les bras chargés de dizaines de rouleaux de papier de toilette, de barils de margarine et de boîtes de céréales Corn Pops géantes. Pour peu, on aurait l'impression que ces gens se préparent pour un imminent cataclysme...

Aujourd'hui, Costco compte 306 clubs-entrepôts aux États-Unis et à Porto Rico, 61 au Canada, 21 au Mexique, 15 en Angleterre, 5 en Corée et 4 au Japon. Un total de 414 clubs-entrepôts dans le monde, d'une superficie moyenne d'environ 12 635 m^2. Costco, c'est aussi près de 20 millions de membres (qui paient une cotisation annuelle de 100 $), 102 000 employés[4] et un chiffre d'affaires annuel qui frise les 38 milliards de dollars.

Bienvenue chez nous !

Mai 2001. Cuernavaca (Mexique). Une ville de 250 000 habitants. La « ville du printemps éternel », dit-on. Au cœur du centre urbain se trouve un site connu sous le nom de Casino de la Selva : 121 000 m^2 de verdure, un site historique. Dans les années 1920, on y a érigé un casino qui est devenu plus tard un hôtel servant de centre des congrès. On y présentait des concerts, des ballets et des expositions. Abandonné depuis 10 ans, cet hôtel était tout de même décoré de fresques que le gouvernement mexicain avait commandées à des artistes locaux et espagnols (J. Reyes Mesa, José Renau, David Alfaro Siqueiros et d'autres). C'est

---

[4] Chiffres en date du 28 avril 2003.

aussi sur le site de Casino de la Selva que les Olmèques, la première civilisation mexicaine, avaient érigé leur cité il y a 3 200 ans. Le site ayant toujours été occupé depuis, il renfermait encore des trésors archéologiques. Casino de la Selva représentait aussi un site écologique : la présence de nombreux arbres centenaires apportait un peu de fraîcheur aux habitants de Cuernavaca durant les fréquentes canicules.

Bref, Casino de la Selva était de loin l'endroit par excellence pour ériger un vulgaire club-entrepôt gris en béton, entouré d'un grand stationnement asphalté. Du moins, c'est ce que pensait le consortium américano-mexicain composé de Costco et Comercial Mexicana lorsqu'ils ont mis la main sur le site en mai 2001.

« C'est comme si l'on voulait installer un Club Price sur le site du parc Lafontaine », dit Michael Werbowski, journaliste et activiste montréalais qui s'intéresse de près aux travers des accords de libre-échange. Selon lui, des représentants de Costco auraient embobiné le maire de Cuernavaca en lui offrant des pots-de-vin. « Ils ont acheté ce site pour 10 millions de dollars alors qu'il était évalué à plus de 70 millions de dollars », dit-il. Il faut préciser qu'un autre site aurait été offert à Costco : une ancienne piste de karting en périphérie de la ville. Mais Costco voulait être située au milieu des gens… Avant que les camions et les bulldozers ne débarquent sur le site de Casino de la Selva, personne dans la municipalité, pas même les petits commerçants du voisinage, n'avait eu vent de l'arrivée du géant. Le site de Casino de la Selva était public (le gouvernement l'avait repris depuis que l'ancien propriétaire ne payait plus ses taxes). Or aucun avis n'a été émis afin de consulter la population, ce qui est contraire aux lois en vigueur.

Les monstres mécaniques ont par conséquent rasé le site de Casino de la Selva, détruisant des centaines d'arbres et réduisant en poussière l'hôtel et ses précieuses fresques. Les trésors patrimoniaux que l'on trouvait sur le site n'avaient pas été recensés par le gouvernement mexicain. Ils ne faisaient donc pas partie du patrimoine « officiel » mexicain. Mais, pour les habitants de Cuernavaca, ils avaient de la valeur. La moindre des choses aurait été de les avertir. De leur dire simplement : « Planquez vos trésors, nous arrivons ! »

Lorsqu'elle a vu son parc urbain se faire détruire, la population de Cuernavaca n'est pas restée longtemps les bras croisés. C'est que les Mexicains savent reconnaître un colonisateur lorsqu'il montre le bout du nez. L'expérience historique probablement. Un groupe de pression (Frente Cívico Pro Defensa del Casino de la Selva) s'est formé pour protester contre l'arrivée de Costco. Le site fut donc barricadé afin d'éviter les regards indiscrets : « Des murs de 8 pieds de hauteur entourent la propriété sur quatre côtés, et trois grandes portes sont verrouillées de l'intérieur. Des phalanges de gardes de sécurité armés patrouillent le périmètre[5]. »

Rapidement, la situation s'envenime. Le 21 août 2002, 3 000 personnes manifestent devant le site de Casino de la Selva et subissent

---

[5] John Ross, « The Cost of Globalization, Cuernavaca Activists Battle Costco Mega-Store and the Malling of Mexico », (www.global exchange.org), 12 mars 2002.

la répression policière. Trente-deux personnes sont arrêtées. Professeur et résident de Cuernavaca, Dr Jaime Lagunez-Otero est un des meneurs de ce mouvement anti-Costco. Le 31 octobre 2002, lui et quelques autres activistes sont embarqués pour avoir manifesté publiquement contre la destruction de Casino de la Selva : « Les policiers ont voulu nous faire sortir de force de la voiture sans nous indiquer quels étaient leurs motifs. Ils nous ont donc aspergés de gaz lacrymogène et nous ont forcés à sortir. Deux d'entre nous, les hommes, ont été menottés pendant que la femme qui nous accompagnait hurlait de terreur. Nous avons été projetés à l'arrière d'une camionnette, le visage contre le plancher, pendant qu'ils écrasaient nos poignets menottés. Un médecin nous a reçus, mais n'a pas voulu nettoyer mon œil, affecté par le gaz. Un de nos amis s'est plaint à la justice locale, demandant des informations. Il a été emprisonné avec nous. Nous étions avec 18 autres hommes dans la même cellule, il n'y avait donc aucune place où s'étendre pour dormir. Ceux qui étaient emprisonnés n'avaient pas la permission de boire, de manger ou de téléphoner. Nous avons finalement été libérés sans être informés de quoi que ce soit[6]. » D'autres protestataires pacifiques ont entamé une grève de la faim en s'enchaînant aux portes de la mairie. Les autorités, pour les déloger, ont décidé d'envoyer des exterminateurs afin d'asperger les gredins de poison pour coquerelles… Beau symbole.

---

[6] Extrait d'une entrevue accordée à l'auteur par Dr Jaime Lagunez-Otero le 9 mai 2003.

Devant tant de protestations, Costco n'a pas eu d'autre choix que de réfréner ses ardeurs. Le géant a engagé une firme de marketing, Fleishmann-Hillard, la même qui avait orchestré la campagne présidentielle de Vicente Fox. Le message à passer pour calmer la tempête était le suivant : « Le club-entrepôt va créer des emplois. » Certains y ont cru, mais plusieurs non. « Selon les statistiques, 80 % des gens à Cuernavaca sont contre ce magasin[7] », prétendait M. Lagunez-Otero. De son côté, le patron de Costco, Jim Sinegal, continuait de prétendre que « les citoyens de Cuernavaca soutiennent massivement le nouveau développement[8] ». Qui croire ? Sans abandonner son projet de club-entrepôt, Costo-Comercial Mexicana a plutôt décidé d'y ajouter un volet « culturel ». L'idée de Costco est brillante : installer sur le site un restaurant de la chaîne California Restaurant (une chaîne de restauration rapide opérée par le partenaire de Costco dans ce projet, Comercial Mexicana). dans lequel on recréerait, au détail près, les précieuses fresques détruites par Costco quelques mois auparavant. Ainsi, il sera bientôt possible à Cuernavaca de voir de fausses œuvres d'art tout en profitant de l'occasion pour acheter deux tonnes d'essuie-tout et un tonneau de beurre d'arachides.

Le droit d'expropriation

L'histoire de Cuernavaca n'a rien d'unique. Des histoires semblables se sont aussi déroulées aux

---

[7] *Ibid.*

[8] Extrait d'un communiqué émis par Costco.

États-Unis et s'y déroulent encore aujourd'hui. C'est qu'il y a une belle contradiction avec Costco : tout le monde veut profiter des bas prix, mais personne ne veut d'un Costco dans son voisinage. On craint l'augmentation du trafic routier, la dégradation du quartier, etc. Fréquemment dans les médias, on entend des histoires de citoyens qui s'opposent à l'arrivée d'un Costco ou autre méga-magasin du genre. Et certaines fois, ce sont les gouvernements locaux qui sont pointés du doigt. C'est que, dans plusieurs municipalités, on condamne des sites afin de faire de la place pour le club-entrepôt, qui a l'avantage de payer d'alléchantes taxes à la municipalité. Pour ce faire, les élus effectuent quelques tours de passe-passe en utilisant le droit d'expropriation. En vertu de ce droit, il est permis à une ville de prendre possession d'un terrain – quand les propriétaires refusent de le vendre – pour usage public (l'aménagement d'un parc, la présence d'un site historique, l'installation d'une ligne électrique, etc.). Mais là où les autorités municipales abusent, c'est lorsqu'elles condamnent un site afin de le revendre par la suite à une grosse entreprise privée qui versera des taxes à la municipalité…

C'est ainsi qu'à Cypress Springs (Californie), la ville a voulu condamner le site d'un centre chrétien pour faire place à un Costco rentable pour la municipalité (contrairement aux institutions religieuses qui sont exemptées de taxes). À Port Chester (New York), la municipalité a condamné les locaux de plusieurs petits commerçants afin de faire place à un centre commercial bâti autour d'un entrepôt Costco. Sur le site, on trouvait auparavant une marina, une homarderie, deux immeubles à

74

logements et plusieurs petites entreprises qui fournissaient du travail à des immigrants.

Les anti-Costco accusent la multinationale de faire pression sur les autorités locales afin de mettre la main sur des terrains, et ce, sans suivre le processus normal de négociations entre compagnies privées. Mais, après tout, les résidents de Cuernavaca, de Cypress Springs ou de Port Chester peuvent s'estimer chanceux : on ose à peine imaginer quelle aurait été la situation si les gestionnaires de Costco n'avaient pas tous participé à des formations sur « l'éthique » et s'ils n'avaient pas été continuellement sensibilisés aux « rigoureuses normes d'honnêteté et d'intégrité » de la société, comme se plaisent à le rappeler les fondateurs de l'entreprise...

Source :

**Frente Cívico Pro Defensa
del Casino de la Selva**
www.procasino.org

Disney, l'enchanteresse
Siège social : Burbank (Californie)
Chiffre d'affaires (2002) : 25,360 milliards de
dollars

> *Comme l'intégrité de nos produits a toujours*
> *récolté la fidélité et la confiance des consommateurs,*
> *l'intégrité de nos pratiques commerciales devrait*
> *récolter la fidélité et la confiance des investisseurs.*
> MICHAEL D. EISNER, PDG de Disney,
> rapport annuel (2002).

> *S'il y a quelque chose de plus irrésistible*
> *que Jésus, c'est bien Mickey.*
> CARL HIAASEN,
> auteur de *Team Rodent : How Disney Devours the World*.

1923. Los Angeles. Les frères Roy et Walt Disney
travaillent à la création de courts-métrages d'animation, *Alice Comedies*, dans un petit local qu'ils
louent 10 $ par mois. La série *Alice Comedies* est
composée de petits films qui mettent en scène un
personnage réel (Alice est jouée par une vraie petite
fille) dans un environnement de dessin animé.
Laugh-O-Gram, une maison de distribution, achète
les aventures aux frères Disney. Entre 1923 et 1927,
le petit studio créera 56 épisodes d'*Alice Comedies* :

Alice Day's at Sea, *Alice Hunting in Africa*, *Alice Cans the Cannibals*, etc. Avec ces petits films, les frères Disney remportent un succès et peuvent bientôt déménager dans de plus vastes locaux afin de continuer à produire leurs si charmants divertissements.

1928. Walt Disney invente une souris noire à quatre doigts et à grandes oreilles rondes qu'il baptise d'abord Mortimer (avant de se laisser convaincre par sa douce moitié que *Mickey* est plus joli). Mickey Mouse est né et commence à faire ses facéties dans une série de petits films, dont le tout premier dessin animé parlant : *Steamboat Willie*. Mickey ne restera pas seul bien longtemps. L'accompagneront bientôt Pluto, le chien malin et maladroit, Goofy, l'autre chien moins malin mais toujours aussi maladroit, Donald Duck, le canard colérique et (oui) maladroit, Minnie, la petite amie de Mickey, et bien d'autres. Les enfants en raffolent et les frères Disney gagnent leur premier Oscar en 1932 pour la création de la déjà légendaire souris.

Forte de tous ces succès, Disney présente, en 1937, le tout premier long métrage d'animation de l'histoire du cinéma : *Blanche-Neige et les sept nains*. Le roi du dessin animé n'hésite pas à s'approprier le conte des frères Grimm en lui ajoutant sa touche personnelle[1], une pratique qui deviendra presque la marque de commerce de Disney. Brillant, Disney utilise ainsi une œuvre appartenant au domaine public afin d'en faire une version originale qui récoltera des droits

---

[1] Dans le *Blanche-Neige* des frères Grimm, par exemple, les nains n'avaient pas de personnalités propres. Il n'y avait donc ni Grincheux, ni Dormeur, ni Simplet…

d'auteur pour de nombreuses années à venir... Dès sa sortie en salle, ce *Blanche-Neige* à la sauce Disney remporte un succès colossal, donne un deuxième Oscar à Disney et permet à la compagnie de se payer des studios encore plus vastes et modernes (à Burbank) qui seront conçus expressément pour la production de films d'animation. Entre les années 1940 et 1950, Disney revisite donc plusieurs grands classiques libres de droits en filtrant les passages trop compliqués et en enlevant aux personnages toute profondeur psychologique. C'est ainsi que *Cendrillon*, *Peter Pan*, *Alice au pays des merveilles* et *Pinocchio* passent tour à tour au moulinet. Pour les générations à venir, les seules versions connues de ces récits resteront celles du grand Walt Disney.

Disney devient rapidement le symbole par excellence du divertissement pour enfants. Outre les films d'animation, les Studios Disney commencent à produire des longs métrages de fiction : *20 000 lieux sous les mers* (de Jules Verne) en 1954, et bien d'autres films connus tels que *Mary Poppins*, *Un amour de coccinelle*, *Pierre et le dragon*, etc.

Au début des années 1950, Walt Disney, désormais plusieurs fois millionnaire, achète une orangeraie de 200 acres à Anaheim, en Californie. C'est sur ce site qu'il construira Disneyland, un parc d'attractions qui réinvente le genre en lançant la mode des parcs thématiques. Plus de doute, Disney est vraiment le roi du divertissement pour enfants...

Aujourd'hui, Disney, c'est : 112 000 employés dans le monde, des dépenses publicitaires annuelles de 2,3 milliards de dollars (2003), des studios de cinéma et d'animation (Disney/Pixar),

2 parcs d'attractions aux États-Unis, 1 en Europe (Euro Disney) et 1 à Tokyo (Tokyo Disney Sea Theme Park). Bref, une véritable machine à rêves préfabriqués. Disney possède aussi des réseaux de télévision (ABC, Fox Kids, Disney Channel, ESPN), 44 stations de radio AM et 18 stations FM, 2 équipes de sport professionnel (au hockey, les Mighty Ducks d'Anaheim ; au baseball, les Angels d'Anaheim). La société vend chaque année des millions de DVD et de VHS qui seront usés jusqu'à la corde par les bouts de chou de toutes les nations. Disney, c'est aussi une marque qui vaut un peu plus de 29 milliards de dollars[2]. Pour en profiter un peu, la compagnie n'hésite pas à vendre des droits d'utilisation à divers manufacturiers qui achètent le droit d'imprimer les couleurs de Disney sur des t-shirts, des casquettes, des stylos, des tasses, des biberons, des couches pour bébés. Aucun doute, la marque Disney est imprimée dans le cerveau des enfants dès leur naissance.

Sus à Disney !

Cependant, la magie de Disney n'opère pas partout. Au sein de la communauté anti-Disney, il est intéressant de constater que, pour une rare fois, aussi bien la droite catholique américaine que la gauche organisent des campagnes de boycottage contre la société. Mais pour des raisons très différentes. D'un côté, 15 millions de baptistes ne pensent pas que Mickey soit aussi « propre » qu'on le prétend. Pourquoi ? Disney

---

[2] « 2002 Global Brands Scoreboard », *Business Week*, 5 août 2002.

produit (ou a déjà produit) des émissions télévisées telles que *Ellen* (défunte émission qui mettait en vedette une lesbienne confirmée) ou, plus récemment, *Will & Grace* (où certains personnages sont homosexuels). L'American Family Association (AFA), un autre groupe de la droite catholique américaine, en rajoute en soutenant que Disney, en engageant des réalisateurs gais, fait la promotion de la cause homosexuelle! D'autres accusent aussi Disney de former les jeunes à la société de consommation. Mais, de tous les combats contre Disney, nous nous attarderons sur celui qui concerne les conditions des travailleurs au service du géant...

L'histoire qui a le plus récemment éclaboussé Disney a duré huit longues années dans la manufacture Shah Makhdum, à Dhaka, au Bangladesh. On a trouvé là-bas des femmes travaillant dans des conditions pitoyables. Le National Labor Committee (NLC), un organisme new-yorkais militant pour les droits humains, révèle que de jeunes adolescentes, cousant des vêtements Disney, étaient forcées à travailler de 14 à 15 heures par jour, 7 jours par semaine. Souvent battues ou menacées lorsqu'elles travaillaient trop lentement, ces couturières étaient rémunérées seulement cinq cents pour chacun des t-shirts arborant le sourire de Mickey ou la bouille rassurante du Roi Lion, lesquels étaient vendus 17,99 $ US aux enfants d'Occident. N'en pouvant plus, ces femmes ont décidé de se révolter et ont demandé aux propriétaires de la manufacture que leurs droits soient respectés, c'est-à-dire qu'elles puissent avoir une journée de congé par semaine et que l'on cesse de les battre. À la suite de cette révolte,

Disney, rapporte le NLC, a immédiatement annulé les contrats qu'elle octroyait à la manufacture, jetant ces femmes dans la rue, sans compensation.

21 octobre 2002. Le propriétaire de la manufacture, un entrepreneur travaillant pour Disney, réunit ses 325 travailleurs à l'occasion d'une rencontre extraordinaire afin de s'excuser pour les abus et les mauvais traitements dont ils ont été victimes au cours des dernières années. Aussi, « Il demande aux superviseurs de cesser les coups et les menaces. » La direction décide également de se plier aux normes du travail du Bangladesh, en plus d'imposer de nombreux changements, qui semblent évidents, mais qui sont de véritables victoires pour les ouvriers bengalis. Ainsi, on lave les toilettes de la manufacture et on fournit du savon aux ouvriers qui peuvent maintenant se laver les mains après leur travail. On installe également des ventilateurs, de même que des filtres pour purifier l'eau de consommation, ce qui permet aux employés de boire de l'eau sans risques. Les travailleurs ont désormais une journée de repos, le vendredi, jour de congé pour les musulmans, et ils ont accès à une cafétéria. Ainsi, plutôt que d'avaler leur lunch sur le toit de la manufacture, assis sur le ciment et sans la moindre protection contre la pluie et le soleil brûlant, ils mangent maintenant dans un petit abri, où une table pouvant accueillir de 30 à 40 personnes a été installée. Les travailleurs ont désormais un salaire plus élevé, et un programme d'augmentation de salaire a été implanté. Bref, toutes ces initiatives font dire aux employés que les conditions de travail à la manufacture de Shah Makhdum sont maintenant « plus élevées que la moyenne » au Bangladesh.

La manufacture Shah Makhdum a fait son bout de chemin, et même le National Labor Committee reconnaît que les conditions de travail sont désormais bien meilleures ou du moins, plus humaines. Mais, malgré tout, Disney n'a pas levé le petit doigt. Si le géant du rêve ne redonne pas de contrats à la manufacture, celle-ci se verra dans l'obligation de fermer ses portes, ce qui entraînera la mise à pied de plus de 300 employés. Ce que le NLC et le Centre pour la solidarité des travailleurs bengalis demandent à Disney, c'est de rester au Bangladesh, puisque l'entrepreneur a fait sa part pour l'amélioration des conditions de travail des couturières, en garantissant que leurs droits soient respectés. Le NLC a même rédigé une lettre qui a été signée par plusieurs membres du Congrès américain et envoyée à Michael Eisner, PDG de Disney.

Non seulement le retour de Disney à Shah Makhdum permettrait de sauver plus de 300 emplois (désormais de qualité) dans cette région déjà très pauvre du monde, mais il servirait aussi d'exemple en montrant qu'il est possible d'améliorer les conditions de travail dans les *sweatshops* sans compromettre leur survie. En d'autres mots, il existe des solutions pour faire disparaître les ateliers de misère…

La valeur d'un humain

Michael Eisner, le patron de Disney, se verse un salaire annuel d'environ 133 millions de dollars, soit quelque 63 000 $ par heure. Une couturière au Bangladesh gagne 0,12 $ par heure. Pourtant, Eisner n'est pas un magicien, il ne peut pas déplacer d'objets par le simple pouvoir de son esprit, il n'a pas de laser dans les yeux et ne peut pas voler. En somme, il n'est rien d'autre qu'un gestionnaire qui a eu la chance de naître dans le bon pays à la bonne époque, d'étudier la bonne matière dans la bonne école, de rencontrer les bonnes personnes. Bref, le salaire qu'il s'octroie chaque année est en grande partie dû au hasard. Dans le monde dans lequel nous vivons, le hasard à lui seul peut expliquer que certains humains n'aient aucune chance de gagner en une vie complète ce que gagne Eisner en une heure de travail.

Source :

Disney Sweatshops
www.disneysweatshops.org

Dow Chemical, la malpropre
Siège social : Midland (Michigan)
Chiffre d'affaires (2002) : 27,609 milliards
de dollars

> *Les compagnies qui ne prennent pas leurs*
> *responsabilités [...] vivront des temps difficiles.*
> WILLIAM STAVROPOULOS, PDG de Dow Chemical

> *Dow est responsable de la naissance du*
> *mouvement environnemental moderne.*
> GREENPEACE

Née au début du siècle dernier, Dow Chemical se spécialise d'abord dans la fabrication d'eau de Javel. Avec les années, l'entreprise se met à fabriquer moult produits chimiques qui s'avéreront bientôt indispensables au bon fonctionnement de la société moderne. Des produits innovateurs qui portent des noms rigolos comme dibromure d'éthylène (utilisé dans les solvants, les insecticides, etc.), acide acétyle salicylique (ou Aspirine, pour les intimes), magnésium métallique (élément d'alliage de l'aluminium) et chlorure de calcium (dont on saupoudre nos routes l'hiver venu).

Mais on salue surtout Dow pour sa magistrale contribution au domaine des plastiques. Tantôt élastique, tantôt thermorésistant, tantôt soluble dans l'eau et peu coûteux à fabriquer, le plastique se soumet sans rechigner aux moindres exigences de la production industrielle, et deviendra bientôt l'incontournable cochonnerie que l'on connaît aujourd'hui. En 1935, Dow lance la résine d'éthyl-cellulose Ethocel, un polymère utilisé autant dans la fabrication de capsules médicamenteuses que dans la composition de l'encre pour les textiles. En 1937, Dow propose la résine de polystyrène Styron, qu'on utilise désormais dans la conception de jouets, de pochettes de disques compacts, d'emballages pour aliments ou encore de gobelets à café.

1948. Vingt pour cent des ventes de Dow Chemical proviennent de l'industrie du plastique. En 1953, la pellicule de plastique Saran Wrap, qui recouvre viandes, fruits et autres restes de table, est inventée. Quinze ans plus tard, c'est le sac Ziploc qui révolutionne l'univers grouillant de la conservation des aliments. En 1963, Dow produit 453 millions de kilos de plastique par an. En 1986, ce géant est le plus grand fabricant de thermoplastiques du monde. En 2001, il fusionne avec Union Carbide, un monstre dans l'industrie des pesticides. Ce mariage fait de Dow Chemical le plus gros producteur de produits chimiques de la planète.

Aujourd'hui, Dow Chemical emploie environ 50 000 personnes dans le monde et livre ses produits dans quelque 175 pays. Dow Chemical possède 191 usines et commercialise plus de 3 400 produits. Dow Chemical, c'est la pellicule Saran Wrap ; ce sont des pesticides, des fongicides, des herbicides, le perchloréthylène utilisé chez le nettoyeur du coin ; c'est la résine de polystyrène employée dans les emballages et les électroménagers ; c'est le latex de notre peinture et de nos condoms ; ce sont les ingrédients de notre lessive… Bref, Dow Chemical, c'est pratiquement tout ce qui nous entoure. Et sans cesse, l'entreprise trouve de nouvelles façons d'exploiter les multiples dérivés du plastique : dans notre alimentation, dans les voitures, dans les crèmes que l'on s'étend sur le visage, dans les produits nettoyants.

Merci Dow !

Au cours de son existence, Dow a reçu de nombreuses distinctions. À ce chapitre, le magazine *Fortune*, en 1993, a ajouté la société à son top 10 des entreprises écologiques, probablement pour souligner sa riche contribution à la croissance et à la stabilité à long terme des dépotoirs qui, depuis l'introduction du plastique comme matière à tout faire, se retrouvent jonchés de multiples détritus non biodégradables ; un riche héritage pour les générations futures. En mai 2002, le président des États-Unis George W. Bush a décerné à Dow Chemical la Médaille de la technologie « pour son esprit visionnaire dans la création de grandes innovations technologiques et scientifiques dans l'industrie chimique et pour l'impact positif que la commercialisation de ces technologies a eu sur la société ». Cette année-là, Cargill Dow (une coentreprise de Cargill et de Dow Chemical) recevait aussi le Presidential Green Chemistry Award de l'EPA pour un nouveau procédé mis au point par l'entreprise : la production de plastique à partir du maïs. Même si cette invention est, en soi, une excellente nouvelle pour l'environnement, ça ne rachète pas tout.

Le cochon d'Inde

3 décembre 1984. *Il était minuit cinq à Bhopal*[1]. Une usine de pesticides de la compagnie Union Carbide explose au cœur de cette ville du centre de l'Inde, crachant dans l'atmosphère un nuage lourd de gaz empoisonné. Trois mille personnes périssent dans les heures qui suivent. Le gouvernement indien estime aujourd'hui à 14 400 le nombre de personnes décédées des suites de l'accident, principalement à cause de l'eau et des sols contaminés par les produits toxiques. C'est du dichlorodiphenyltrichloréthane (D.D.T.) qui a éclaboussé la ville de Bhopal en cette nuit de décembre. Un des plus graves accidents environnementaux de l'histoire de l'humanité. Le D.D.T. est un insecticide dérivé du pétrole inventé peu avant la Seconde Guerre mondiale par le Suisse Hermann Müller. Conçu à la base pour protéger les militaires des insectes porteurs du paludisme, on l'a rapidement utilisé dans le domaine de l'agriculture pour exterminer les insectes nuisibles (ce qui augmente du même coup le rendement des récoltes). Mais on a aussi découvert que le D.D.T. contaminait sérieusement les sols. C'est un des désavantages des merveilles de la chimie : on s'aperçoit souvent trop tard des répercussions néfastes de la manipulation improvisée des molécules sur l'équilibre environnemental.

---

[1] Titre du roman de Dominique Lapierre et Javier Moro.

Après l'explosion, l'espace contaminé de Bhopal est laissé à l'abandon par Union Carbide sans être dépollué, « et ce n'est pas Dow Chemical, repreneur d'Union Carbide en 2001, qui s'en chargera[2]. »

Dow fabriquait aussi du D.D.T. depuis de nombreuses années. En 1962, Rachel Carson écrit le livre *Silent Spring*, qui traite des effets nocifs du D.D.T. sur les populations d'oiseaux. Même si cet ouvrage ne fait pas l'unanimité au sein de la communauté scientifique, il est, selon Greenpeace, l'élément déclencheur de ce qui deviendra le mouvement environnemental moderne. Après la fusion de Dow Chemical et d'Union Carbide, les environnementalistes n'ont toujours pas oublié Bhopal. « Qu'allez-vous faire de Bhopal ? » demande-t-on. Le roi du plastique, en gobant le baron des pesticides, est devenu le digne héritier de près de 20 ans de protestations entourant la décontamination de Bhopal. Dow n'a pas hésité à répliquer aux environnementalistes, par voie de communiqué : « Malheureusement, nous avons des responsabilités envers nos actionnaires et nos collègues de l'industrie qui rendent toute action impossible. Clarifier cette question a été pour nous une très grosse étape[3]. » Le porte-parole de Dow Chemical, Bob Questra, a même ajouté : « Nous comprenons la colère et la douleur, mais Dow Chemical ne reconnaîtra pas […] sa responsabilité. Si nous le faisions, non seulement nous devrions dépenser plusieurs milliards de dollars en décontamination et en dédommagements, mais, pire encore, le public pourrait ensuite citer Dow comme un précédent pour d'autres cas

---

[2] *Capital*, avril 2003.
[3] Extrait d'un communiqué émis par Dow Chemical.

graves. "Ils ont pris leurs responsabilités, pourquoi pas vous ?" Amoco, BP, Shell et Exxon ont déjà des problèmes qui pourraient seulement s'aggraver. Nous sommes incapables de créer ce précédent, pour nous autant que pour notre industrie. Mais nous voudrions voir cette affaire se résoudre de façon humaine et satisfaisante[4]. » Fin de la citation.

2003. Un juge américain décide qu'Union Carbide « en a fait assez » pour Bhopal, qu'elle a rempli ses obligations envers les victimes et que trop de temps a passé depuis la catastrophe pour que l'on puisse réclamer quelque réparation que ce soit à la compagnie. Il faut préciser qu'Union Carbide a vendu ses parts dans l'usine de Bhopal depuis 1994 et qu'elle a utilisé le fruit de la vente pour construire un hôpital dans la ville. Le site n'est pas décontaminé. Mais on a un hôpital pour soigner ceux qui crèvent encore. C'est bien, un hôpital. Ça fait joli dans le paysage et c'est beaucoup moins coûteux que de nettoyer un gros gâchis.

Salir Dow Chemical

Greenpeace a lancé une campagne de salissage sans précédent contre Dow, parodiant son site Internet et répertoriant toutes les mauvaises idées qu'a eues Dow Chemical dans le passé. Parce que, les mauvaises idées, on connaît ça chez Dow Chemical : produits polluants, dangereux, toxiques… mais tellement indispensables pour « améliorer la vie au quotidien[5] ». Greenpeace

---

[4] Déclarations officielles de Dow Chemical sur la question de Bhopal, 3 décembre 2002.
[5] Le slogan de Dow Chemical est « *Living. Improved daily* ».

demande à Dow de prendre ses responsabilités. Pas seulement pour Bhopal, mais aussi pour l'amiante (un autre héritage d'Union Carbide) et l'agent orange, que Dow Chemical aurait fourni à l'armée américaine pour vaporiser les méchants Viêt-côngs pendant la guerre du Viêtnam...

L'héritage des produits chimiques

L'homme doit désormais partager son quotidien avec des milliers de substances chimiques dont les effets sur la santé sont encore loin d'être connus. À moins de s'exiler sur une île au milieu de l'océan Pacifique, il est quasi impossible de leur échapper. Et encore, de nombreuses analyses semblent démontrer que l'invasion des produits chimiques n'épargne aucun endroit sur la planète. Selon Greenpeace, des produits chimiques toxiques ont été retrouvés dans le gras des ours polaires et dans certains poissons pêchés à des centaines de kilomètres au large. On prétend aussi que le corps humain est contaminé par au moins 100 produits chimiques différents. « Pendant des années, l'industrie chimique a persuadé les gouvernements que les risques entourant les produits chimiques étaient trop faibles pour qu'on s'en préoccupe, et les gouvernements nous ont assuré que la réglementation en vigueur offrait une protection adéquate. Mais un grand nombre de preuves montrent un autre point de vue[6]. »

En 2003, Greenpeace a publié un volumineux rapport portant sur les inquiétudes liées à la quantité de substances chimiques que l'on trouve dans

---

[6] *Chemicals Out of Control*, rapport publié par Greenpeace, 2003, (www.greenpeace.org).

les poussières domestiques. Selon l'Agence environnementale européenne, il y aurait dans l'Union européenne quelque 100 000 produits chimiques différents en liberté, dont on ne sait, en somme, que très peu de choses. « Nous pensons que l'industrie chimique n'a aucun droit de soumettre la population en général à une exposition involontaire aux produits chimiques industriels, plusieurs d'entre eux ayant des caractéristiques inconnues », peut-on lire dans le rapport *Consuming Chemicals* de Greenpeace. On utilise des substances chimiques dans les produits de consommation pour mille et une raisons. Certains servent à rendre les plastiques plus souples, d'autres entrent dans la composition d'insecticides, d'autres sont utilisés dans les composants électroniques et d'autres rendent nos pommes brillantes et appétissantes… Ceux-ci pourraient bien être la cause de nombreux troubles de la santé : affaiblissement du système immunitaire, dérèglement hormonal, cancer… Le problème, c'est qu'on ne sait pas exactement. Mais on doute.

Tous les jours, on respire de la poussière qui transporte des substances chimiques aux effets inconnus. C'est l'héritage des produits chimiques. Un héritage dont on aurait pu se passer…

Sources :

Mad Dow Disease
www.mad-dow-disease.org

Bhopal.net
www.bhopal.net

**Chemical Reaction (pétition en ligne
pour un avenir sans produits toxiques)**
www.chemicalreaction.org

ExxonMobil, l'autruche
Siège social : Irving (Texas)
Chiffre d'affaires (2002) : 204,5 milliards
de dollars

> *Notre industrie n'en a pas assez fait pour*
> *bien expliquer le rôle essentiel que nous jouons*
> *et de quelle façon nous fournissons de l'énergie*
> *et des produits qui contribuent à la croissance*
> *économique [...] et aident à améliorer les vies*
> *de millions de gens dans le monde.*
>
> KENNETH COHEN, vice-président
> des affaires publiques d'ExxonMobil,
> 101ᵉ Conférence annuelle de la National
> Petrochimical and Refiners Association
> (San Antonio, Texas, mars 2003).

> *La deuxième plus grande entreprise du monde a*
> *utilisé ses profits avec succès pour bloquer les efforts*
> *déployés dans le but de combattre la plus grande*
> *menace écologique que le monde actuel doive*
> *affronter, les changements climatiques.*
>
> JOHN PASSACANTANDO, Greenpeace

Deux cents millions d'années avant Jésus-Christ. Un peu partout sur la Terre, des résidus organiques s'accumulent dans les multiples concavités de la croûte terrestre. Tranquillement, le temps recouvre cette soupe d'une couche de sable, laquelle est ensuite cuite par la chaleur de la planète. Emprisonné dans ce « réservoir » naturel, le mélange se transforme peu à peu en ce que nos contemporains appelleront l'« or noir ». Jusqu'ici, tout se déroule comme prévu.

Vers le milieu du XIXe siècle, des scientifiques, comme l'Anglais James Young, commencent à explorer les différentes propriétés du pétrole. Au départ, on voit dans ce combustible un excellent substitut à la coûteuse huile de baleine, alors utilisée dans les lampes à huile. Bientôt, on découvre que le pétrole peut servir à bien d'autres choses : lubrifiant pour les machineries, usages médicinaux, etc. La « fièvre de l'or noir » commence aux États-Unis lorsque Edwin L. Drake réussit, le 27 août 1859, à faire jaillir le pétrole d'un puits de son invention, le derrick. Alors que l'extraction du pétrole se faisait auparavant de façon quasi artisanale, Drake, avec son innovation, peut sucer des entrailles de la Terre jusqu'à 17 0000 L de pétrole par jour. Bientôt, des millions de prospecteurs en herbe se lanceront dans cette industrie risquée, salissante et hautement inflammable. Des villes champignons naissent autour des sites pétrolifères : Oil City, Oleopolis, etc.

Pendant ce temps, un certain John D. Rockefeller vise juste. Il décide d'investir dans un domaine beaucoup moins aléatoire que l'extraction de pétrole : le raffinage. En achetant le pétrole des prospecteurs, il s'assure ainsi du flot constant de la matière brute, qu'il peut transformer en kérosène, par exemple. Grâce à son flair, Rockefeller fait beaucoup d'argent. Beaucoup, beaucoup d'argent.

À la fin du XIXe siècle, le richissime Rockefeller commence à faire l'acquisition de diverses entreprises dans le secteur pétrolier. En 1882, il réunit tous ses intérêts sous une seule bannière : la Standard Oil Trust. Cette même année, les deux compagnies qui deviendront Exxon et Mobil naissent. À l'époque, on les connaît respectivement sous les noms de Standard Oil Co. du New Jersey (Jersey Standard) et Standard Oil Co. de New York (Socony). Les affaires des deux entreprises baignent dans l'huile jusqu'à ce que la Cour suprême démantèle la Standard Oil Trust, en 1911, à cause d'une violation de la loi Sherman Antitrust (1890). Celle-ci force l'empire de Rockefeller, qui détient pratiquement tout ce que l'on peut alors compter de pipelines, de raffineries et de pétroliers, à se détacher de 33 de ses plus importantes filiales.

Au cours de la même année, un nouveau marché apparaît : l'essence. Socony, volant désormais de ses propres ailes, décide d'exploiter ce marché. Constatant l'engouement général pour l'automobile, elle se choisit un nom tout indiqué : Mobiloil. Jersey Standard et Mobiloil explorent chaque aspect de leur industrie, développent des réseaux de pipelines et raffinent leurs raffineries... Au cours de la Seconde Guerre mondiale, les deux géants en profitent pour mettre au point de nouvelles techniques de raffinage. Après la guerre, le pétrole entre vraiment dans ses années folles. La reconstruction de l'Europe renforce les deux multinationales. L'industrie pétrochimique invente plus de 80 000 dérivés du pétrole. On apprend à le transformer en toutes sortes de produits : plastique, solvant, résine, polyester... essence.

1998. Exxon et Mobil, étant désormais devenus d'énormes joueurs dans l'industrie pétrolière, décident de fusionner (ou *refusionner* ?). ExxonMobil devient la plus grande compagnie pétrolière du monde.

Aujourd'hui, ExxonMobil, c'est : un chiffre d'affaires de 204,5 milliards de dollars (2002), 92 500 employés, des profits annuels de plus de 11 milliards de dollars (2003) et des liens commerciaux avec quelque 200 pays. Mais ExxonMobil, c'est surtout des millions et des millions de barils de pétrole qui, chaque année, sont raffinés, brûlés, transformés, évaporés dans l'atmosphère. ExxonMobil a des intérêts dans une marée noire d'industries « essentielles » à l'équilibre de la société moderne dont, évidemment, l'essence et les plastiques. En 2002, ExxonMobil est la deuxième plus grande entreprise du monde. Par contre, elle est la 32e compagnie la plus admirée et ne fait pas partie des 100 meilleures grandes entreprises pour qui travailler (*Fortune*)… Durant la campagne présidentielle de 2000, 89 % des contributions politiques d'ExxonMobil (soit près de 1,227 million de dollars) sont allées au Parti républicain. Il n'est donc pas étonnant que, une fois élu, George W. Bush se soit empressé de signifier le refus de son pays de ratifier le Protocole de Kyoto. Et que dire de la guerre en Irak ? Bien que camouflée derrière la peur du terrorisme et la présence d'armes de destruction massive, cette guerre n'est finalement qu'une question de pétrole. L'Irak possède 12 % des gisements pétroliers et Washington voit dans l'ex-pays de Saddam Hussein une excellente solution de remplacement à l'Arabie Saoudite.

Les blessures du pétrole

Chaque année, les « Miss Météo » des bulletins télévisés sont fières de nous annoncer que nous avons, encore une fois, « battu des records de chaleur ». À cause des changements climatiques, la NASA a découvert que le Groenland fond plus rapidement que prévu. La hausse du niveau de l'océan menace de petites îles, comme l'atoll de Tuvalu (au cœur du Pacifique) où l'on a ordonné l'évacuation progressive des 11 000 citoyens. Selon le Hadley Center for Climate Prediction and Research, qui étudie les changements climatiques depuis plus de 20 ans, la température terrestre pourrait augmenter de 1,5 à 5,8 °C au cours des 50 prochaines années. « Les économies mondiales croissent rapidement et sont basées principalement sur la combustion de combustibles fossiles ; donc, les effets sur les changements climatiques risquent d'être substantiels[1] », dit Simon Brown, chercheur spécialiste du climat au Hadley Center. Si le Groenland fond ou si le réchauffement climatique crée trop de précipitations, il pourrait y avoir une trop grande accumulation d'eau douce dans l'océan Atlantique. Cette accumulation pourrait créer une réaction en chaîne qui modifierait le grand courant chaud Gulf Stream, lequel est responsable du climat plus doux en Europe (France, Angleterre). En pareil cas, une partie de l'Europe pourrait connaître des chutes de température qui compromettraient sérieusement l'agriculture de ces pays, entre autres choses.

---

[1] Extrait d'un communiqué émis par Hadley Center for Climate Prediction and Research le 20 mars 2003.

Les résidus de combustion issus des combustibles fossiles et de la biomasse sont la source la plus importante de pollution atmosphérique. En 1999, des chercheurs constatent l'existence d'un nuage brunâtre de 10 millions de kilomètres carrés et d'une épaisseur d'environ 3 km au-dessus d'une « grande partie du continent asiatique ». Ce nuage, causé notamment par la combustion de combustibles fossiles et de la biomasse (provenant des feux de forêts), bloque entre 10 et 15 % de la lumière du jour et dérègle le climat local.

Et nous ne parlerons pas des dommages que causent ces pétroliers qui coulent trop souvent, déversant des millions de litres de pétrole dans l'océan et souillant les côtes.

Stop Esso !

C'est pour toutes ces blessures que Greenpeace mène actuellement une campagne internationale de boycottage contre Esso (dont les stations-service sous le contrôle d'ExxonMobil). Les raisons que l'on invoque : Esso nierait l'existence des changements climatiques et dépenserait des millions de dollars annuellement pour dénigrer les preuves scientifiques des effets nocifs de l'utilisation du pétrole sur les écosystèmes. La pétrolière jouerait aussi un rôle déterminant dans le sabotage des tentatives d'accords internationaux visant à combattre les changements climatiques (Protocole de Kyoto). « Contrairement à la plupart des grandes compagnies de ce monde, comme Shell ou BP, ils [Esso] n'investissent pas un sou dans les énergies renouvelables », confiait à *La Presse* Steven Guilbeault, porte-parole mondial de Greenpeace sur la question des changements climatiques[2]. Selon Jo Dufay, directrice de la campagne « Stop Esso » au Canada : « Ce n'est pas un comportement unique à Esso, mais la pétrolière représente le pire du pire. »

Bien que cette campagne soit en cours dans plusieurs pays d'Europe (et plus récemment au Canada), c'est au Royaume-Uni que les militants anti-Esso sont les plus féroces. Le 24 février 2003, 300 bénévoles de Greenpeace ont bloqué l'accès à 120 stations-service Esso partout au Royaume-Uni, et 100 autres bénévoles ont investi le siège social d'Esso. En mai 2002, une station-service Esso sur quatre au Royaume-Uni a été la cible des boycotteurs, qui brandissaient des pancartes invitant les automobilistes à aller acheter leur essence ailleurs. En mars 2003, des étudiants pacifistes ont défilé sur le terrain du siège social d'Esso au Royaume-Uni, déguisés en tigres, en baleines, etc. On a même fait couler la maquette d'un pétrolier dans l'étang de la compagnie !

Pour Esso, les militants de Greenpeace sont vraiment les rois de l'emmerde. Aussi, la pétrolière utilise-t-elle fréquemment la justice pour décourager les activistes. Afin de freiner les attaques qu'elle reçoit, Esso n'hésite pas à poursuivre le moindre de ses détracteurs. « En juillet 2002, Esso a poursuivi Greenpeace France, ajoute Jo Dufay, à cause de l'utilisation du logo Esso dans leur campagne [Greenpeace a remplacé les "S" du mot "ESSO" par des "$"]. Une des raisons invoquées était que les "S" ressemblaient

---

[2] Charles Côté, « *Greenpeace lance un boycott d'Esso* », *La Presse*, 18 juin 2003, p.A7.

au signe "SS" des Nazis. » Le 26 février 2003, un juge français a déclaré les accusations d'Esso, quant au logo de Greenpeace France, « inutiles et pas sérieuses[3] »...

Des résultats

La campagne de Greenpeace contre Esso aurait, en Europe, contribué à réduire la part de marché d'Esso de 20 % (selon un sondage de Greenpeace). Au Royaume-Uni, déjà plus d'un million d'automobilistes boycotteraient la pétrolière.

Même si elle ne fait encore rien pour encourager l'utilisation d'énergies renouvelables, ExxonMobil commence toutefois à accepter qu'il puisse y avoir un lien entre le pétrole et les changements climatiques. Mais l'entreprise est encore très loin d'adhérer au consensus qui règne actuellement dans la communauté scientifique. Qui plus est, elle ne croit pas vraiment à la pertinence des énergies de rechange. Il faut entendre à ce sujet le patron d'ExxonMobil, Lee R. Raymond, dans un discours prononcé à la 22e World Gas Conference à Tokyo (4 juin 2003) : « L'utilisation de l'énergie éolienne et solaire continuera de croître très rapidement, mais seulement à cause des politiques et des incitatifs gouvernementaux, pas à cause des forces du marché ou de l'économie. Cependant, même avec un taux de croissance fulgurant, l'énergie éolienne et solaire ne risquent pas de fournir 1 % de l'énergie nécessaire en 2020. Des stocks abordables de pétrole et de gaz naturel vont demeurer essentiels à la croissance économique. Non seulement dans les pays industrialisés, mais aussi dans les pays en voie

---

[3] Extrait d'une entrevue accordée à l'auteur par Jo Dufay.

de développement où les efforts pour hausser les niveaux de vie sont si vitaux. »

Sortir du pétrole

« Le monde dans lequel nous sommes moulés aujourd'hui est né dans les années 1920, avec le développement de l'industrie pétrochimique[4]. » C'est un fait, l'or noir contrôle le monde. À la moindre augmentation du coût de l'essence, c'est la panique générale. La nouvelle fait la une des journaux. Tout le monde en parle. Après des décennies de crises, de guerres du pétrole et de statistiques alarmantes, on aurait pu penser que quelques brillants scientifiques se seraient retroussé les manches afin de trouver quelque chose pour remplacer la plus grande cochonnerie écologique du monde moderne... En vérité, des gens l'ont fait et le font encore aujourd'hui. Mais, curieusement, aucune idée n'a été sérieusement concrétisée jusqu'ici. « Le seul produit qui a autant d'usages que le pétrole [...], c'est le chanvre, écrit Jeremy Smith dans le magazine *The Ecologist*. Son huile peut faire fonctionner des voitures, créer des plastiques ou être transformée en savon, ses fibres peuvent être transformées en papier ou en tissu, et ses graines sont l'une des meilleures substances nutritives connues[5]. »

Sortir du cercle vicieux du pétrole est probablement la plus grande bataille que nous devrons livrer au cours du prochain siècle. Plus que jamais, les populations doivent choisir leur camp, tout

---

[4] Jeremy Smith, « Forbidden Fruit ? », *The Ecologist*, vol. 33, n° 3, p. 27.
[5] *Ibid.*

comme les gouvernements qui devront tôt ou tard cesser de céder aux puissants lobbys pétroliers. Durant les prochaines décennies, il faudra accepter l'idée que l'industrie du pétrole n'a pas d'avenir, même si l'on tente par tous les moyens de nous prouver le contraire. La question n'est pas de savoir à quel degré le pétrole est nocif. Il est nocif. Il n'aide pas l'environnement. Qui plus est, il existe des solutions de rechange. Selon l'auteur Jeremy Rifkin, nous assisterons bientôt à la révolution de l'hydrogène[6]. Bien que plusieurs scientifiques ne prêchent que par l'hydrogène et son caractère écologique, nous sommes encore loin de le voir s'imposer sérieusement comme forme d'énergie (pour faire rouler les voitures notamment). De plus, étant donné qu'il faut une source d'énergie pour fabriquer l'hydrogène, espérons seulement qu'on n'aura pas la brillante idée d'utiliser les combustibles fossiles à cet effet. Cette éventualité semble absurde ? C'est pourtant très exactement l'idée qu'a actuellement en tête le président américain George W. Bush[7]...

Sources :

Vivre les changements climatiques
www.changements-climatiques.qc.ca

Campagne « Stop Esso » (Greenpeace)
www.stopesso.org

---

[6] Barry C. Lynn, « Hydrogen's Dirty Secret », *Mother Jones*, mai/juin 2003, p. 15.

[7] Voir le portrait de Ford à la page suivante.

Ford, le vieux routier
Siège social : Detroit (Michigan)
Chiffre d'affaires (2002) : 162,6 milliards
de dollars

> *Au cours du xxe siècle, aucune compagnie*
> *n'a eu de plus grand impact*
> *sur le quotidien des gens que Ford.*
> FORD, rapport annuel (2002)

> *Ford dit qu'elle veut se concentrer sur le futur, mais*
> *la plupart de ses véhicules font moins*
> *de kilomètres au litre de pétrole que le Model T*
> *n'en faisait il y a de cela 80 ans.*
> JASON MARK, Global Exchange

16 juin 1903. Detroit (Michigan). Henry Ford fonde l'entreprise qui porte son nom. Si le Model T, voiture légendaire de Ford, n'est pas la première voiture de la planète, c'est à l'époque la plus fiable et la plus abordable. « Ford a imaginé un monde dans lequel un véhicule sur lequel on peut compter pourrait élargir les horizons[1]. » Mais Henry Ford n'est pas qu'un constructeur de voitures, c'est aussi un industriel futé.

---

[1] Robert Lacey, *Ford : The Men and the Machine*, Little Brown & Company, 1988.

Henry Ford met au point un concept qui lui vaudra le titre de génie de la production de masse. En 1913, il imagine un système où les voitures, montées sur un treuil et tirées par un câble, sont construites sur une chaîne de montage. Ainsi, les ouvriers restent au même endroit et exécutent des tâches précises, répétitives, simples. Le concept de la chaîne de montage, adapté pour la première fois à l'industrie automobile, permettra à Henry Ford de créer des véhicules huit fois plus rapidement, ce qui réduira les coûts de production et permettra d'offrir à chaque Américain un véhicule à la mesure de ses moyens.

En 1918, Ford met en marche, à Détroit, le complexe The Rouge. Cette « vaste et satanique cathédrale de l'entreprise privée[2] » est alors le plus grand complexe industriel du monde. Installée à Détroit, Ford Motor Company contribuera à changer le paysage de cette ville banale du Michigan. Détroit deviendra Motor City, et le nom de Ford sera bientôt incontournable dans le paysage urbain : Ford Hospital, Ford Auditorium, Ford Road, Edsel Ford Freeway, etc.

Outre les voitures, Henry Ford a une autre obsession : celle de tout contrôler. Ainsi, il ne se contente pas, comme ses concurrents, d'assembler des pièces afin de construire ses voitures. Il se porte acquéreur de mines de charbon et d'acier, ainsi que d'une portion de l'Amazonie (un site rebaptisé Fordlandia) d'où l'on tirera, de 1928 à 1946, le caoutchouc nécessaire à la production automobile. Avec son Model T, Ford fait fortune,

---

[2] *Ibid.*

et plusieurs autres modèles de voitures sortiront du complexe The Rouge : la Lincoln (1941), la Thunderbird (1954), la Mustang (1964)... Autant de voitures qui deviennent des symboles de la jeunesse américaine libre et dans le vent. Avec le temps, Ford Motor Company acquiert aussi des intérêts d'autres fabricants automobiles : Mazda (1979), Aston Martin – la voiture de James Bond – (1987), Jaguar (1989), Volvo (1999).

Aujourd'hui, Ford, c'est : quelque 6 900 000 véhicules vendus en 2002, le deuxième plus important fabricant de voitures et de camions des États-Unis et le quatrième d'Europe. Ford est une gigantesque compagnie qui brille par son histoire, ses succès passés. Et c'est exactement ce que l'on reproche aujourd'hui à la compagnie de ce bon vieux Henry Ford : trop regarder dans le rétroviseur... et pas assez devant.

Pour que les choses bougent

8 mai 2003. Rainforest Action Network (RAN) et Global Exchange (GX), deux importants groupes militant pour l'environnement et les droits humains, lancent une campagne conjointe contre Ford, pressant la compagnie de concevoir au plus vite des véhicules à faible consommation d'essence et d'amorcer la transition vers des combustibles de remplacement, tels que l'hydrogène. « Ford a des années de retard par rapport à la tendance générale », clament les deux groupes. RAN et GX veulent que Ford aide à briser la dépendance des Américains au pétrole, et ce, en utilisant les technologies existantes. On veut aussi que Ford accélère la transition vers

l'hydrogène afin d'éliminer complètement l'émission de gaz à effet de serre dès 2020.

Ces deux organismes sont connus pour leurs campagnes qui ont, dans le passé, donné des résultats concrets, notamment contre Nike, Burger King, Home Depot, Citigroup et Starbucks. Le fait que deux groupes de cette importance décident d'unir leurs forces pour faire en sorte que Ford investisse dans des technologies propres témoigne de l'ampleur de la tâche. RAN et GX en ont assez des discours creux de Ford, qui se présente comme une entreprise environnementale, mais qui ne tient jamais ses promesses de produire des voitures plus propres et plus efficaces sur le plan énergétique.

Le lancement de cette campagne de protestation tombe à point. En juin 2003, Ford célèbre en grande pompe son centième anniversaire. Plusieurs activistes sont fin prêts à jouer les trouble-fêtes. Dans plusieurs villes américaines, des groupuscules de militants protestent devant les concessionnaires Ford avoisinants. Deux personnes seront arrêtées à San Francisco. À Détroit, des militants du RAN installent de gigantesques banderoles sur lesquelles on peut lire de sympathiques slogans tels que « *Ford : Driving America's Oil Addiction*[3] ». Sept personnes sont appréhendées. Le vendredi 13 juin 2003, alors que des milliers de personnes assistent aux célébrations du centenaire de Ford, à Dearborn, RAN et GX font voler, non loin des festivités, une subtile montgolfière de 27 m de hauteur en forme de tyran-

---

[3] « Ford : aux commandes de la dépendance américaine au pétrole ».

nosaure[4] sur laquelle on a écrit : « *I love guzzling gas[5]* ! » Difficile de passer inaperçu. Les manifestations anti-Ford font la manchette des journaux du lendemain. Même si les manifestants ne sont pas plus que quelques milliers, l'opération de salissage a su attirer l'attention publique et faire planer une ombre sur les célébrations.

Ode à la lenteur

Mais le problème de Ford, le même que pour tous les fabricants d'automobiles, c'est sa lenteur. C'est qu'on oublie souvent une chose : si l'invention géniale de Ford (la chaîne de montage pour l'industrie automobile) a été sacrée comme une des grandes innovations du XXe siècle, c'est aussi elle qui, aujourd'hui, ralentit considérablement l'adoption de la moindre innovation technologique. C'est un fait : l'industrie automobile est un gros dinosaure qui peine à bouger dans un monde évoluant plus vite que prévu... Grâce à sa chaîne de montage, Ford a créé un concept où les procédés de fabrication complexes, les tâches précises, les robots et les machines entrant dans la production d'un véhicule paralysent toute innovation. Or, lorsqu'il décide d'installer sur sa chaîne de montage un nouveau robot qui exécutera telle tâche, un constructeur amortit le coût de sa nouvelle machine sur 10 ou 15 ans. Pendant ce laps de temps, si un ingénieur à tendance écolo se pointe les lunettes avec un projet de

---

[4] RAN avait utilisé ce même dinosaure en 2000 lors d'une manifestation devant le siège social de Boise Cascades dans le cadre d'une campagne visant à protester contre la destruction des forêts.

[5] « J'adore bouffer de l'essence ».

véhicule plus écologique sous le bras, on risque peu de vouloir réinvestir immédiatement dans une nouvelle machine afin de concrétiser l'idée. Pourquoi risquer d'engager des dépenses supplémentaires alors que le citoyen moyen achète toujours les voitures telles qu'elles sont construites aujourd'hui ? La seule chose qu'une telle idée risque de changer, ce sont les chiffres déjà si bien alignés dans la colonne des bénéfices de la compagnie. Du moins, c'est ce qu'on pensait, mais cette théorie ne tient plus la route. Depuis trois ans, Ford vend de moins en moins de voitures. Les consommateurs veulent du changement.

Cette raison, très technique, explique en partie pourquoi les constructeurs automobiles semblent ne bouger que très, très lentement. Enfin, trop lentement pour les écologistes qui aimeraient bien que l'on commence à s'intéresser plus sérieusement à la question de l'émission de gaz à effet de serre.

Comment se fait-il que la recherche sur les véhicules écologiques, aussi fertile soit-elle, n'ait donné que si peu de résultats concrets sur nos routes ? Ce n'est pas d'hier que des chercheurs inventent et perfectionnent de nouveaux moteurs moins polluants. On a connu les recherches sur le méthanol, sur l'hydrogène, sur l'huile de palme ou de chanvre, sur l'électricité, sur l'énergie solaire. Toutes les formes d'énergie verte y sont passées au cours des dernières décennies. Toutefois, même si des voitures hybrides (essence et électricité) commencent tranquillement à entrer sur le marché, le processus de renouvellement de l'industrie automobile est extrêmement long par rapport à la quantité de percées dans le domaine.

Vive l'hydrogène ?

Tôt ou tard, l'industrie automobile devra prendre ses responsabilités en matière d'environnement. Espérons seulement que ce soit plus « tôt » que « tard ». Un des carburants de remplacement envisagés est l'hydrogène. En janvier 2003, le président américain George W. Bush annonce un financement de 1,2 milliard de dollars pour mettre au point un véhicule à l'hydrogène qui serait non polluant. Mais comme le rapporte le magazine *Mother Jones*, cette nouvelle cache un odieux secret : « Ce que Bush n'a pas révélé dans son discours adressé à la nation, c'est que son administration s'est doucement assurée que le système permettant de produire l'hydrogène sera dépendant des combustibles fossiles et potentiellement aussi polluant que ceux que l'on utilise dans les VUS [véhicule utilitaire sport] aujourd'hui[6]. » On a besoin d'une source d'énergie pour créer de l'hydrogène (il faut séparer les atomes d'hydrogène et d'oxygène de l'eau). Dans le rapport *National Hydrogen Energy Roadmap*, publié en novembre 2002 par le gouvernement américain, on découvre que le scénario de production de l'hydrogène risque de dépendre en grande majorité (près de 90 %) de technologies utilisant le pétrole, le gaz naturel et le charbon comme source d'énergie.

Toute une avancée. On est presque impressionnés.

[6] Barry C. Lynn, « Hydrogen's Dirty Secret », *Mother Jones*, mai/juin 2003, p. 15.

Source :

Rainforest Action Network
www.ran.org/ran_campaigns/ford/

Gap, le grand écart
Siège social : San Francisco (Californie)
Ventes nettes (2002) : 14,5 milliards de dollars

> *Gap s'efforce d'avoir un impact positif sur les communautés dans lesquelles elle fait des affaires. [...] Cela signifie que nous voulons que les travailleurs dans les manufactures soient traités avec respect et dignité.*
>
> GAP

> *Quand je tousse, le mucus est bleu parce que nous travaillons sur des vêtements bleus en ce moment.*
>
> TEBELLO, travailleur dans un *sweatshop* de Gap au Lesotho

1969. Année mythique de Woodstock et du premier homme sur la Lune. L'apogée d'une époque mouvementée qui a vu naître les hippies, le *flower power*, les manifs contre la guerre du Viêtnam et la musique psychédélique. « *All across the nation, such a strange vibration, people in motion* », chantait Scott McKenzie dans « San Francisco » (« *Be Sure To Wear Some Flowers in Your Hair* »).

C'est justement à San Francisco, en 1969, que notre histoire commence. Cette année-là, Donald et Doris Fisher ouvrent la première boutique de

111

ce qui deviendra bientôt Gap. Issu d'une famille aisée de San Francisco, Donald Fisher étudie les arts et les sciences à l'Université Berkeley. C'est un sportif populaire auprès de tous. Un vrai bon gars. Mais à cause de sa grandeur (6 pieds 1 pouce de hauteur et 34 de taille), Donald a souvent de la difficulté à trouver des jeans qui lui vont. Il résout le problème en fondant sa propre boutique, qui vend des jeans, mais aussi des disques. La légende dit que c'est Doris, la douce moitié de Donald, qui trouve le nom du magasin, Gap, inspiré de l'expression « generation gap[1] ».

Ce premier Gap connaît une grande popularité. Bientôt, les Fischer abandonnent la vente de disques afin de mieux concentrer leurs activités sur les vêtements. Gap popularise le look « générique » : des vêtements tout-aller, relax, confortables, sobres et aucunement rattachés à une mode éphémère. Les pantalons kakis deviennent extrêmement prisés par les jeunes.

Aujourd'hui, Gap, c'est : la plus grande compagnie de vêtements des États-Unis, 4 000 magasins dans 6 pays (États-Unis, Canada, Royaume-Uni, France, Allemagne et Japon) et 165 000 employés. Outre les bannières Gap, GapKids et BabyGap, la société possède aussi Old Navy et Banana Republic. Depuis plus de 30 ans, des dizaines de vedettes ont fait la promotion de la marque Gap : Carole King, Daft Punk, Juliette Lewis, Gary Sinise, Elijah Wood, Willie Nelson et plus récemment Madonna. Les stars n'hésitent pas à associer leur image à Gap. C'est que l'opération est souvent rentable pour les deux partis.

---

[1] « Fossé de générations ».

Ainsi, une vedette internationale peut se vendre à Gap pour aussi peu que 50 000 $ US. « Les mêmes vedettes qui demandent des millions à d'autres compagnies posent pour les publicités de Gap pour des *peanuts*[2]. »

Gap est une société jeune, *cool*, relax, branchée. Les campagnes publicitaires convainquent la jeunesse que porter des kakis est un acte de rébellion contre le pouvoir établi et un pas de plus vers la révolution... Mais « l'appropriation commerciale de sentiments politiques radicaux et progressistes a généré une objection complète de la part des groupes activistes et de gauche[3] ». Parce que derrière « Gap-la-rebelle », se cache un côté beaucoup plus sombre...

Ateliers de misère

« Quand je tousse, le mucus est bleu parce que nous travaillons sur des vêtements bleus en ce moment », confie une couturière du Lesotho à l'organisme UNITE ! (Union of Needletrades, Industrial and Textile Employees). Dans ces usines, les travailleurs ne portent pas de couleurs « tendance », ils les crachent... UNITE ! n'est pas le premier organisme à s'intéresser aux travers commis par Gap dans ses manufactures de par le monde. Périodiquement depuis le milieu des années 1990, de nombreuses histoires d'horreur signées Gap sont parvenues jusqu'à nos oreilles occidentales. Documentaires-chocs, enquêtes sur le terrain,

[2] Michael McCarthy, « Stars Come Out for Trendy Gap Ads », *USA Today*, 11 décembre 2001.
[3] Lindsay Rowan, « The revolution Will Not Go Better With Coke », *Green Left Weekly*, 5 mars 2003.

témoignages… Par le biais des manufactures de Gap dans les pays en voie de développement, plusieurs ont appris l'existence des fameux *sweatshops*, ces ateliers de misère.

Le mot « *sweatshop* » a fait son apparition à la fin du XIXe siècle, pendant la révolution industrielle. On utilisait le terme pour décrire un système de travail par sous-traitance. Les *sweatshops* étaient, et sont toujours, gérés par des intermédiaires qui faisaient travailler des employés pour le compte d'une grande entreprise. « Les profits de ces intermédiaires étaient fixés en fonction de la quantité de "sueur"[4] qu'ils pouvaient tirer de leurs travailleurs[5]. » Un *sweatshop*, c'est une usine où les employés sont payés à des salaires si bas qu'ils vivent sans cesse dans la pauvreté, où les droits humains ne sont pas respectés, où ceux qui lèvent le poing pour se syndiquer sont renvoyés sans aucune forme de procès.

Novembre 2002. UNITE ! publie un rapport de 32 pages sur les usines de Gap, basé sur des interviews avec des travailleurs de *sweatshops* au Salvador, en Indonésie, au Lesotho et au Bangladesh. Encore une fois, des histoires d'horreur qui tranchent beaucoup avec les déclarations de Gap sur la responsabilité sociale de l'entreprise. On y apprend que, dans certaines usines au Lesotho, les travailleurs sont payés 0,30 $ par heure. Avec un tel salaire, il leur est impossible d'acheter le strict minimum pour vivre. Ils empruntent à des prêteurs qu'ils ne peuvent jamais rembourser et restent coincés dans un cycle infernal d'endette-

---

[4] « *Sweat* », en anglais.
[5] Miriam Ching Yoon Louie, *Sweatshop Warriors : Immigrant Women Take on The Global Factory*, South End Press, 2001.

ment. Au Lesotho, le taux de chômage atteint 60 %, le salaire mensuel moyen d'un travailleur dans un *sweatshop* est de 65 $ et le coût de la vie (de base) est de 125 $ par mois. Faites le calcul.

Dans ce rapport, les témoignages de travailleurs se succèdent. « Si on fait la moindre petite erreur, ils nous battent. Parfois, quand on fait des erreurs, ils écrivent sur notre feuille de temps qu'on était absent ce jour-là. » « L'usine est sale, nous ne pouvons pas ne pas respirer les fibres et les particules dans l'air. » « Nos salaires sont trop bas pour suffire à se nourrir convenablement. Nous mangeons seulement ce qu'il faut pour survivre. » Dans ces nombreuses déclarations[6], tout y passe : abus physiques et verbaux, coups, violence, blessures fréquentes.

Beaucoup d'ateliers de misère sont mal aérés, il y règne une chaleur insoutenable, les travailleurs y sont entassés et ne peuvent pas quitter les lieux pendant leur pause-repas, l'usine est entourée de barbelés, gardée par des agents de sécurité armés. Bref, on se demande vraiment comment les dirigeants de Gap, qui chient dans de l'eau Évian, peuvent encore dormir sur leurs deux oreilles en sachant quel genre de système ils encouragent.

En envoyant leur sale boulot dans les *sweatshops*, les multinationales comme Gap peuvent se permettre d'offrir à leur clientèle des vêtements à prix raisonnables, de bonne qualité, tout en engrangeant d'alléchants profits. En somme, pour permettre à Gap de gagner sur tous les fronts,

---

[6] *The Gap's Global Sweatshop, A report on the Gap in Six Countries*, publié par UNITE !, novembre 2002.

quelqu'un, quelque part, doit payer… Et ce sont ces millions de travailleurs qui ont eu la malchance de naître dans un pays où l'atelier de misère est le seul moyen de subsistance. Ces travailleurs se cassent la vie à produire des vêtements que les Occidentaux doivent impérativement changer toutes les saisons pour survivre dans cette société contrôlée par l'image. Les travailleurs des *sweatshops* se trouvent tout au bas de la « pyramide » du commerce de détail, écrasés par les sous-traitants qui, eux, se concurrencent férocement afin d'attirer les manufacturiers. Gap ferait affaire avec plus de 3 000 manufacturiers dans plus de 50 pays[7].

Pourtant, il pourrait y avoir un marché pour le « vêtement équitable ». Selon un sondage mené en 1999 par l'Université Marymount, les trois quarts des répondants ont déclaré qu'ils éviteraient d'acheter chez un détaillant s'ils savaient que leurs vêtements étaient faits dans des *sweatshops*. Mais, plus encore, 86 % des personnes interrogées ont aussi assuré qu'elles accepteraient de payer 1 $ de plus pour un t-shirt de 20 $, si l'on garantissait que celui-ci a été fabriqué de façon équitable… C'est aussi le montant que cela coûterait pour que les travailleurs bénéficient de conditions plus humaines. Pratiquement tous les manufacturiers internationaux ont recours à des *sweatshops* et refusent de se plier aux normes du mouvement anti-*sweatshops*. Ces principes disent entre autres que les manufacturiers doivent verser à leurs employés non pas le salaire minimum en vigueur dans le pays

---

[7] Selon les documents corporatifs de Gap.

(lequel est souvent tellement bas qu'il maintient le travailleur dans la misère permanente), mais un salaire *décent*, qui peut permettre au travailleur de jouir d'une certaine qualité de vie et de se sentir respecté. On veut aussi que les travailleurs puissent avoir le droit de se syndiquer.

Et finalement, et c'est là que les beaux discours des multinationales tombent à l'eau, on veut que les Gap de ce monde dévoilent la liste des manufactures où sont fabriqués leurs vêtements. Ce qu'ils refusent catégoriquement. Gap dit qu'elle « veut que les travailleurs dans les manufactures soient traités avec dignité et respect et qu'ils travaillent dans un environnement sécuritaire ». Mais, d'un autre côté, en refusant de dévoiler avec quelles manufactures elle travaille, Gap se protège. Parce qu'elle sait trop bien que tout ne tourne pas rond. qu'elle a perdu le contrôle, que malgré son Code de conduite bidon destiné à calmer les activistes, son modèle d'affaires comporte de nombreux ratés.

Sources :

UNITE !
www.uniteunion.org/sweatshops/

Behind The Label
www.behindthelabel.org

General Electric, la responsable
Siège social : Fairfield (Connecticut)
Chiffre d'affaires (2002) : 132 milliards
de dollars

> *Depuis ses débuts, GE est une compagnie*
> *qui a toujours cherché à faire du monde*
> *un meilleur endroit où vivre.*
> GENERAL ELECTRIC

> *[GE] n'en à rien à faire de l'environnement*
> *et rien à faire de la santé publique...*
> WALTER HANG, président de Toxics Targeting

1876. Le jeune inventeur Thomas A. Edison assiste à l'Exposition du centenaire des États-Unis, à Philadelphie. Il y voit nombre d'appareils merveilleux, tous animés par cette nouvelle forme d'énergie : l'électricité. Plus tard cette année-là, il ouvre un laboratoire à Menlo Park afin de poursuivre ses recherches sur l'électricité. C'est là que, en 1877, il invente le phonographe. En 1878, il fonde la Edison Electric Light Company et, l'année suivante, après de multiples échecs, le « patenteux » le plus persévérant de tous les temps invente enfin le bidule qui le fait entrer

119

dans l'histoire : une ampoule électrique... qui fonctionne ! En 1889, Edison construit une première centrale électrique et crée, quelques mois plus tard, la Edison Illuminating Company, qui commence à construire des centrales électriques municipales...

1889. Thomas Edison, avec de nombreux brevets sous le bras, décide de réunir toutes les petites compagnies qu'il a fondées çà et là sous une seule bannière : la Edison General Electric Company. En 1892, la nouvelle entité fusionne avec la Thomson-Houston Company pour devenir la General Electric Company (GE). À sa mort, en 1931, à l'âge de 84 ans, Edison a contribué plus que quiconque à la naissance du monde moderne. Fort de 1 093 brevets, le génie a inventé ou amélioré d'innombrables objets d'usage courant : le phonographe, l'ampoule électrique, la dynamo, le moteur électrique, la poupée parlante, la pile électrique, le projecteur kinétoscope, etc.

Edison laisse donc tout un héritage à la General Electric Company qui, avec autant de persévérance que son illustre fondateur, invente des centaines d'appareils électriques et électroniques, et se hisse au rang des plus puissantes sociétés américaines. C'est à General Electric que l'on doit le ventilateur électrique (1902), le grille-pain électrique (1905), la première transmission de la voix sur ondes radiophoniques (1906), les vertus des micro-ondes (1918), la machine à laver électrique (1930), le premier réseau de télévision aux États-Unis (1940), le réfrigérateur à deux portes (1947), le réveille-matin numérique et programmable (1978) et des milliers d'autres inventions...

Aujourd'hui, GE, c'est : quelque 70 000 brevets enregistrés et deux prix Nobel. GE est la seule entreprise du monde à fabriquer à la fois des locomotives, du plastique et des appareils pour la cuisine, à tenir un réseau de télévision (NBC), à faire des moteurs d'avions à réaction, des scanneurs médicaux et des turbines au gaz. Touche-à-tout, GE est aujourd'hui une méga-entreprise qui brasse autant d'idées que de gros sous.

Tranquille, le fleuve

En 1976, le Congrès américain décide de bannir l'usage du biphényle polychloré, mieux connu sous son acronyme : BPC. Jadis, le BPC était utilisé comme isolant dans bon nombre d'appareils électriques. Les problèmes commencent lorsque des études démontrent que le produit peut causer le cancer ou encore endommager le système endocrinien. Au Québec, on connaît le BPC surtout à cause de l'incendie d'un entrepôt de Saint-Basile-le-Grand, le 23 août 1988. Aux États-Unis, on connaît ce produit à cause du fleuve Hudson. De 1940 à 1976, General Electric a déversé, en toute légalité, quelque 500 000 kg de BPC dans une portion d'environ 65 km du fleuve Hudson, entre Mechanicville et Fort Edward (New York). C'est aujourd'hui un des plus grands sites contaminés aux États-Unis. Le BPC est un polluant persistant qui ne disparaît pas de lui-même après un certain nombre d'années. Selon l'Environmental Protection Agency (EPA), les risques de contracter un cancer après avoir mangé du poisson contaminé au BPC sont 1 000 fois plus élevés, si bien que l'on déconseille aux femmes en âge de procréer et aux enfants de consommer du poisson pêché dans les eaux contaminées du fleuve Hudson. L'industrie locale des pêcheries est foutue.

« Si on les [General Electric] laisse mettre ça dans le fleuve, ça ne doit pas être dangereux », s'est dit Don Morrisson, un fermier habitant sur les rives du fleuve Hudson et qui a toujours vécu en bon voisinage avec le BPC. La femme de Don Morrisson est morte d'un cancer du colon (que l'on croit causé par la présence de BPC) à l'âge de 49 ans. Sa fille « qui a grandi là-dedans », a maintenant les ongles de la main droite complètement morts. « Quand je me suis intéressée aux effets du BPC, j'ai découvert qu'un des premiers symptômes de contamination était la déformation des ongles », explique-t-elle dans une vidéo que l'on trouve sur le site Internet CleanupGE.org[1]. Don, lui, a d'étranges plaies sur les bras et des problèmes cardiaques « qui pourraient être causés par le BPC ». Aujourd'hui, la ferme de Don Morrisson est hautement contaminée. Personne ne veut l'acheter. Pas même GE.

Don Morrisson aimerait que GE nettoie son gâchis. Mais, étonnamment, plusieurs personnes dans sa région pensent le contraire. « GE a mené une belle campagne de relations publiques », dit Don Morrisson. De 1990 à 2002, General Electric aurait investi beaucoup d'argent en relations publiques, en émissions de télévision, en publi-

---

[1] Ce site Internet est une création de Essential Information, un organisme fondé en 1982 par Ralph Nader et qui veut encourager les gens à être plus actifs et engagés dans leur communauté. Il diffuse de l'information « provocante » sur des sujets habituellement évités par les médias de masse.

cité, en lobbying, en études et en frais d'experts afin de convaincre la population que le BPC ne présentait aucun danger pour la santé humaine. La compagnie a prétendu que les microbes élimineraient les BPC naturellement, tandis que l'EPA soutient que seulement 10 % de ceux-ci avaient disparu. GE s'est aussi farouchement défendue en déclarant que, au moment où elle a rejeté ses BPC, la pratique était tout à fait légale et que, pour cette raison, elle ne devait pas être tenue pour responsable des coûts de nettoyage.

Le 11 décembre 1980, le Congrès américain approuve le CERCLA (Comprehensive Environmental Response, Compensation, and Liability Act), mieux connu sous le nom de loi *Superfund*. En résumé, cette loi prévoit que les pollueurs, plutôt que les contribuables, doivent payer le nettoyage des sites qu'ils ont souillés de déchets toxiques, et ce, même s'ils sont en possession d'un permis « pour polluer ». En vertu de cette loi, des milliers de sites contaminés aux États-Unis ont été décontaminés par des entreprises qui ont pris leurs responsabilités.

Pour que GE nettoie son gâchis...

« Depuis les années quarante, General Electric et tous les fabricants de produits électriques ont utilisé des BPC dans leurs produits pour une raison très importante : la sécurité. » Cette déclaration, Jack Welch, ex-PDG de General Electric l'a faite au cours d'un échange qu'il a eu avec sœur Patricia Daly, durant une assemblée annuelle des actionnaires en 1998. Sœur Patricia Daly est une activiste du New Jersey qui relève de Dieu et qui travaille pour Interfaith Center on Corporate Responsibility, un organisme religieux qui compte parmi ses membres quelque 275 investisseurs institutionnels, lesquels représentent un porte-feuille d'actions d'une valeur de 110 milliards de dollars. Au cours des dernières années, la religieuse a été engagée dans de nombreux combats, contre ExxonMobil notamment. Ce 22 avril 1998, elle assistait à titre d'actionnaire à l'assemblée annuelle de GE. Elle était là pour demander à Jack Welch de l'aider à informer le public des dangers liés au déversement de BPC dans le fleuve Hudson. Welch lui a alors répété le message habituel de GE, soit que le BPC n'est ni cancé-rigène ni dangereux pour la santé. Sœur Patricia Daly lui a alors rappelé l'expérience des fabricants de cigarettes qui n'ont cessé de clamer pendant de nombreuses années que la cigarette n'était pas dangereuse pour la santé. Welch a qualifié cette comparaison d'« outrageuse ». Ce jour-là, sœur Patricia Daly a déposé une résolution demandant que GE divulgue les montants d'argent qu'elle avait investis dans des études et des campagnes de relations publiques afin de faire passer l'idée que le BPC est inoffensif…

Sœur Daly reviendra souvent proposer la même résolution à GE. Au cours de l'assemblée annuelle de 2003, 25,6 % des actionnaires votants l'ont appuyée. Deux ans plus tôt, une résolution similaire n'avait récolté que 8 % des votes. En quelques années, les beaux discours de GE ont perdu en crédibilité.

Le brouhaha créé autour de cette question est l'un des nombreux éléments qui a mené à l'adop-tion d'une entente entre GE et l'EPA concernant la décontamination du fond du fleuve Hudson. Le 28 mai 2003, GE acceptait de « rembourser à l'agence fédérale 15 millions des 40 millions de dollars qu'elle a dépensés pour le projet de décontamination, et de contribuer à un maximum de 13 millions de dollars des coûts futurs[2]. » L'EPA veut retirer quelque 46 000 kg de BPC, soupçonné d'être cancérigène. L'entreprise doit enlever les particules de BPC du fond du fleuve sans trop secouer la boue pour éviter qu'elles ne soient emportées par le courant.

La responsabilité sociale de l'entreprise

Est-ce qu'une entreprise est responsable de ses actes ? Si oui, jusqu'à quel point ? C'est autour de cette épineuse question que l'on explore actuellement des formes nouvelles de la responsabilité sociale de l'entreprise. Si, auparavant, les entreprises n'étaient redevables qu'envers leurs actionnaires, ce modèle n'est plus valable aujourd'hui. Selon la Commission européenne, la responsabilité sociale de l'entreprise signifie que cette dernière « est redevable des impacts qu'elle cause sur ceux dont elle affecte la vie ». On parle ici autant des employés et des actionnaires que de la population... bref, tous ceux qui subissent les impacts liés aux activités d'une entreprise. Si l'on accepte cette définition, on peut conclure que General Electric n'a pas assumé sa responsabilité sociale dans l'histoire des BPC dans le fleuve Hudson.

---

[2] Roger Witherspoon, « GE to Design Hudson Dredging », *Journal News*, 29 mai 2003.

Il existe des normes concernant la responsabilité sociale de l'entreprise, lesquelles ressemblent aux normes ISO de qualité totale. L'adhésion des entreprises à ces différentes normes constitue un enjeu de taille pour les prochaines décennies.

Fini le temps où les entreprises ont des effets néfastes sur les gens et l'environnement ? « On a pris pour acquis pendant toute l'ère industrielle que l'entreprise était créatrice de richesses, dit Corinne Gendron, chercheure principale à la chaire d'Économie et Humanisme de l'Université du Québec à Montréal. Avec les problèmes environnementaux que l'on connaît aujourd'hui, on commence à se poser la question : "Est-ce que l'entreprise est vraiment créatrice de richesses ou si elle n'est pas créatrice de passif ?" On veut désormais que non seulement l'entreprise ne crée pas de passif, mais qu'elle crée bel et bien de la richesse[3]... »

Désolé pour les entrepreneurs, mais la responsabilité sociale de l'entreprise va bien au-delà d'un simple exercice de relations publiques et d'une série d'engagements superficiels.

Sources :

Cleanup GE
www.cleanupge.org

Corporate Responsability
www.corporate-responsibility.org

---

[3] Extrait d'une entrevue accordée à l'auteur par Corinne Gendron le 13 juin 2003.

Mars, l'arrière-goût
Siège social : Hackettstown (New Jersey)
Chiffre d'affaires : 13 milliards de dollars

> *Créer du profit est une condition nécessaire*
> *de la liberté, puisque ce profit donne à l'entreprise*
> *la possibilité de maîtriser sa destinée.*
> MARS, extrait des *Cinq Principes de Mars*,
> un ensemble de convictions qui guide
> les actions de la société.

> *Quelle que soit la couleur des friandises,*
> *faites du commerce dans l'équité.*
> GLOBAL EXCHANGE, extrait d'une lettre envoyée
> aux dirigeants de Mars

1922. Frank Mars et son fils Forrest visitent un *drugstore* et sont frappés d'un éclair de génie : pourquoi ne pas faire du chocolat au lait malté en format pratique ? La barre Mars est née. Dans les années 1930, alors qu'il s'installe en Europe, Forrest Mars a un autre éclair de génie : pourquoi ne pas exploiter le secteur grouillant de la nourriture pour animaux de compagnie ? Et comme deux éclairs de génie ne viennent jamais seuls, Mars découvre combien il est pratique de recouvrir le chocolat d'une couche de bonbon afin d'éviter qu'il ne fonde dans les mains. Les friandises M & M sont nées et seront plus tard intégrées aux rations alimentaires des soldats américains. Ainsi, les militaires peuvent s'exciter les papilles gustatives avec du chocolat, tout en ayant les mains bien propres...

Mais ce n'est pas tout : pendant la Seconde Guerre mondiale, Mars est la première entreprise à adapter les méthodes industrielles modernes à la production de riz à l'étuvée. Rapidement, le riz Uncle Ben's devient une des marques les plus vendues chez l'Oncle Sam. Ben, l'oncle d'on-ne-sait-trop-qui, aurait été un cultivateur afro-américain qui cultivait un riz si délicieux qu'il était apparemment d'usage courant de dire : « Ce riz est aussi délicieux que celui d'Uncle Ben. » Ce pauvre Ben, s'il a vraiment existé, doit se retourner dans sa tombe en voyant ce qu'on a fait de son riz...

Aujourd'hui, Mars est la quatrième entreprise privée en importance de la planète. Entièrement contrôlée par trois membres de la famille Mars, la multinationale emploie 28 500 personnes dans le monde et possède des pied-à-terre dans une soixantaine de pays. Mars est la compagnie mère de plusieurs entreprises qui commercialisent nombre de produits très populaires, et ce, dans des secteurs qui n'ont strictement rien à voir entre eux. Dans le secteur de la nourriture pour animaux domestiques, elle propose Whiskas et Pedigree. Et puis, il y a la panoplie de denrées (riz, pâtes, sauces) signées Uncle Ben's. Peu de gens le savent, mais Mars est aussi présent dans l'industrie des machines distributrices, puisqu'elle a inventé un système électronique de reconnaissance des pièces de monnaie… Mais c'est plus particulièrement dans le domaine des « collations » que Mars a acquis ses lettres de noblesse. Quelque 146 milliards de friandises M & M sont vendues chaque année, sans compter les millions de barres de chocolat Mars, Snickers et Twix qui sont englouties entre deux repas…

« Je ne sais pas ce qu'est le chocolat »

Juin 2001. La chaîne de journaux américaine *Knight Ridder* détient un sujet qui révoltera le monde entier. Sudarsan Raghavan, correspondant africain pour le groupe médiatique, vient de découvrir que l'esclavage existe encore, en Côte d'Ivoire, en ce début du troisième millénaire. Ce dont il est témoin et les histoires qu'on lui raconte sur place sont difficiles à croire. Dans les plantations reculées de la Côte d'Ivoire, des garçons, dont certains ont à peine 11 ans, sont achetés à des trafiquants par des agriculteurs, et ce, afin de les faire travailler de longues heures dans des conditions pitoyables, avec une promesse de rémunération qui n'est jamais tenue. Hypothétique bonbon. Le journaliste ne lésine pas sur les détails : « Les moins chanceux sont fouettés avec une chaîne de bicyclette ou battus et brisés comme des chevaux à force de récolter les fèves qui servent à fabriquer les friandises chocolatées des enfants plus fortunés d'Europe et d'Amérique[1]. » Raghavan a aussi rencontré un jeune qui avait travaillé sur ces plantations de l'enfer :

---

[1] Sudarsan Raghavan et Sumana Chatterjee, « How Your Chocolate May Be Tainted », *Knight Ridder Newspapers*, 24 juin 2001.

« Aly Diabate avait environ 12 ans lorsqu'un marchand d'esclaves lui a promis un vélo et 150 $ pour l'aider à soutenir ses pauvres parents au Mali. » Les seules récompenses qu'il a reçues une fois sur la plantation ont été ces doux moments où les bourreaux ne le fouettaient pas… Aly n'avait aucune idée de ce qu'il faisait, ou du goût que pouvaient avoir les fèves de cacao une fois mélangées avec du sucre et du lait pour créer une barre de chocolat. « Je ne sais pas ce qu'est le chocolat », a-t-il dit au journaliste de *Knight Ridder*.

L'histoire de ces enfants esclaves du cacao est publiée dans les journaux que possède *Knight Ridder* aux États-Unis. Le monde est bouleversé. Plusieurs découvrent alors l'épouvantable situation des pays du Tiers-Monde, où la pauvreté transforme les hommes en bêtes. Dans ces pays, bien des parents confient aveuglément leurs enfants aux trafiquants, qui leur promettent des sommes d'argent au retour des petits. Ceux-ci reviennent rarement. L'enquête de *Knight Ridder* démontre aussi les liens entre ces plantations de cacao et des compagnies américaines bien connues. Parmi celles-ci : Kraft General Foods, Hershey et Mars…

On savait déjà que des enfants esclaves étaient achetés par des fermiers de la Côte d'Ivoire ; ceux-ci provenaient pour la plupart des pays pauvres avoisinants : Bénin, Burkina Faso, Togo, Mali. Mais la série d'articles sur le sujet publiée en 2001 par *Knight Ridder* capte l'attention internationale et choque l'opinion publique. Immédiatement, plusieurs organismes militant contre le trafic d'enfants ou pour le commerce équitable lancent des campagnes pour forcer les entreprises occidentales à cesser d'acheter du cacao importé de plantations où l'on tient des enfants en esclavage.

Quarante-trois pour cent de la production mondiale de cacao provient de la Côte d'Ivoire. L'ONG américaine Global Exchange estime qu'il y aurait actuellement quelque 284 000 enfants de moins de 17 ans qui travailleraient dans des conditions douteuses dans les plantations de cacao en Afrique occidentale. Cette situation serait due au fait que, depuis les 10 dernières années, la déréglementation dans le secteur agricole des pays en voie de développement a fait chuter le coût du cacao de façon spectaculaire, rendant ainsi les agriculteurs incapables d'engager de la main-d'œuvre adulte et rémunérée. Selon l'IITA (International Institute of Tropical Agriculture), les revenus annuels moyens que peut tirer un ménage de l'exploitation de cacao oscillent entre 30 $ et 110 $. Ce qui est, bien entendu, nettement insuffisant. Les fermiers reçoivent en moyenne 0,01 $ pour chaque tablette de chocolat vendue qui, elle, coûte environ 0,60 $.

Devant une telle situation, l'organisme américain Global Exchange a décidé de lancer une campagne contre Mars. Pourquoi Mars en particulier ? Puisque c'est l'une des plus grandes compagnies chocolatières aux États-Unis, ses positions peuvent changer les choses en matière de commerce équitable. Sans lancer un appel au boycottage, Global Exchange invite tout de même la population à faire pression sur Mars pour que l'entreprise adopte des pratiques de commerce équitable. On invite les gens à envoyer des télécopies aux dirigeants de Mars. Mais on utilise aussi d'autres moyens de pression encore plus originaux. Par exemple, dans une campagne publicitaire pour les M & M, Mars avait créé un site Internet qui demandait aux internautes de choisir leur couleur favorite de bonbons ; Global Exchange demandait à la population d'inscrire « certifié commerce équitable » comme couleur favorite !

Global Exchange voudrait que Mars (et les autres acheteurs de cacao) se procure du cacao certifié par l'organisme Fair Trade, lequel garantit un minimum de 0,80 $ par livre de cacao (acheté à des producteurs organisés en coopératives) et interdit formellement l'usage abusif d'enfants travailleurs ou encore le travail forcé. En se basant sur le fait que les trois propriétaires de Mars pèsent, ensemble, 30 milliards de dollars, Global Exchange estime que la compagnie pourrait largement débourser ce qu'il faut pour adopter des pratiques de commerce équitable.

19 septembre 2001. L'Association des chocolatiers (Chocolate Manufacturers Association), la Fondation mondiale du cacao (World Cocoa Foundation) ainsi que tous leurs membres, sans exception, signent un protocole afin de s'assurer que les fèves de cacao soient cultivées et traitées « conformément à la convention 182 de l'Organisation internationale du travail sur l'interdiction et l'intervention immédiate contre les pires formes de travail des enfants ». En signant un tel document, l'industrie du chocolat reconnaît le problème du travail forcé des enfants en Afrique occidentale et se dote d'un plan quinquennal précisant que, dès le 1er décembre 2005, aucune

fève de cacao ne devrait être cultivée par des enfants dans « les pires formes de travail ». Gageons que plusieurs activistes ont déjà soigneusement inscrit cette date dans leur agenda.

Malgré cet engagement public des entreprises chocolatières, dont Mars fait partie, Global Exchange poursuit sa campagne, prétextant que l'affaire piétine et que, pendant ce temps, des enfants sont toujours tenus en esclavage dans des conditions épouvantables. Étant donné toute la mauvaise publicité que reçoit la compagnie, il est évident qu'elle adoptera tôt ou tard des pratiques de commerce équitable.

Mais la situation évolue chaque jour. Au moment de la rédaction de ce livre, on pouvait lire dans les journaux que la quasi-totalité des plantations de cacao en Côte d'Ivoire était tombée sous le contrôle des forces rebelles qui avaient déclenché la guerre civile au pays. Le coût du cacao, qui était de 900 $ la tonne il y a deux ans, a grimpé à quelque 2 300 $ la tonne en janvier 2003. Les rebelles annonçaient déjà qu'ils allaient couper les livraisons de cacao si la violence politique s'intensifiait en Côte d'Ivoire. Dans un contexte pareil, la situation des enfants esclaves dans les plantations reculées du pays n'est pas près d'être réglée...

Malgré tout, il faut se poser la question : combien d'années l'esclavage des enfants en Côte d'Ivoire aurait-il duré si l'affaire n'avait pas été ébruitée sur la place publique ? Comment croire à la bonne volonté d'entrepreneurs qui ne réagissent à de tels drames humains que lorsque la population finit par en entendre parler ? Comment ces multinationales pouvaient-elles ne pas être au courant de la situation chez leurs fournisseurs de cacao ? Et comment pouvaient-elles être assez stupides pour penser que personne ne les pointerait du doigt le jour où, finalement, la vérité éclaterait au grand jour ? Le jour n'est pas venu où une multinationale prendra une initiative importante pour le bien de l'humanité...

Sources :

Global Exchange
www.globalexchange.org/cacao/

La série d'articles de *Knight Ridder* portant sur les enfants esclaves en Côte d'Ivoire
www.krwashington.com

McDonald's, le symbole
Siège social : Oak Brook (Illinois)
Chiffre d'affaires (2002) : 41,526 milliards
de dollars

> *Nous ne sommes pas seulement une compagnie*
> *de hamburgers servant des gens, mais une*
> *compagnie de gens servant des hamburgers.*
> MCDONALD'S

> *Le* fast-food *n'est plus*
> l'American dream *de personne désormais.*
> JOSÉ BOVÉ, antimondialiste

1949. San Bernardino (Californie). Un restaurant minute attire des centaines de clients. Surtout des familles de la classe moyenne. On y sert des hamburgers à 0,15 $, des laits frappés, des frites et des boissons gazeuses : les quatre groupes alimentaires réunis dans le plus joyeux des festins. Une nouveauté : les clients passent leur commande eux-mêmes ! Les frères Dick et Mac McDonald, propriétaires de l'établissement, font des affaires d'or. Ce qu'ils viennent d'inventer transformera à jamais le monde de la restauration. Cette invention, c'est *le Speedy Service*

System. « Sans en être vraiment conscients, les McDonald font entrer la restauration rapide dans l'ère de l'automatisation[1]. » À l'instar de Ford et de sa fameuse chaîne de montage, les frères McDonald ont découvert qu'ils pouvaient augmenter considérablement la rapidité du service en établissant des méthodes de production précises, éliminant, par la même occasion, l'élément humain.

1954. Toujours à San Bernardino. Un vendeur de *multimixers*[2] visite le restaurant des frères McDonald. Il y vient pour élucider un mystère… Pourquoi diable cet établissement lui a-t-il commandé huit *multimixers* à la fois ? Pour lui, c'est du jamais vu. Ce vendeur curieux, c'est Ray Kroc. En voyant l'efficacité avec laquelle les clients sont servis, « Kroc a l'impression de découvrir la huitième merveille du monde[3] ». Presque immédiatement, cet homme de 52 ans devient celui qui fera de McDonald's un géant mondial. Il sera représentant officiel des frères McDonald pour la vente de franchises du *Speedy Service System*, ce qui l'amènera à fonder McDonald's Corporation. La légende derrière McDonald's, c'est Ray Kroc qui l'a écrite. Son *success story*, tous les petits bâtisseurs d'empires le connaissent sur le bout des doigts.

La suite de l'histoire est assez connue. En 1955, Kroc ouvre son restaurant McDonald's à Des Plaines (Illinois) et son entreprise se lance illico dans la course aux franchises. C'est un succès :

---

[1] John F. Love, *McDonald's : Behind the Arches*, Bantam Books, 1986.
[2] Appareils utilisés pour la préparation de laits frappés.
[3] John F. *Love*, op. cit.

des restaurants McDonald's ouvrent leurs portes aux quatre coins des États-Unis, puis au Canada, puis dans le reste du monde. « L'entreprise exporte une coutume et un mode de vie américains, en même temps qu'un repas typiquement américain, car les hamburgers, les frites et le lait frappé, s'ils sont connus dans certains pays, sont souvent inconnus dans d'autres, comme au Japon ou au Proche-Orient[4]. »

Aujourd'hui, McDonald's, c'est : plus de 31 000 restaurants dispersés dans 118 pays, 1,5 million d'employés, un budget publicitaire global d'environ 2 milliards de dollars, des immeubles et des terrains qui représentent une valeur aux livres de 4 milliards de dollars, des ventes annuelles globales de plus de 41 milliards de dollars (2002). Le chiffre d'affaires annuel de McDonald's équivaut presque à deux fois celui de son plus proche concurrent (Yum Brands, qui tient les chaînes Taco Bell, KFC, Pizza Hut et A & W).

McDonald's est une grosse machine fort bien huilée. Que l'on visite n'importe quel McDo, l'expérience est toujours la même. Tout est à sa place. Tout est prévu, pensé, réfléchi, harmonisé, standardisé. Dans ce monde menaçant qu'est le nôtre, la constance de McDonald's réconforte.

L'autre McDonald's

Janvier 2003. Oak Brook (Illinois). McDonald's Corporation annonce ses premières pertes trimestrielles (343,8 millions de dollars) depuis son inscription en Bourse en 1965. Devant ses

---

[4] *Ibid.*

actionnaires, l'entreprise est dans l'eau chaude. « C'en est au point où le PDG, Jim Cantalupo, a dit devant un auditoire de Wall Street [...] que la chaîne ne voulait plus être plus grosse que n'importe quelle autre, mais meilleure[5]. » Afin de pallier la crise, McDonald's freinera son expansion en n'ouvrant que 360 nouveaux restaurants dans le monde en 2003 (contre 1 000 en 2002 et environ 1 700 par an dans les années 1990). Pour s'éloigner de cette odeur de malbouffe qui lui colle à la peau, la chaîne intègre aussi des plats « allégés » à son menu, tout en orientant ses campagnes publicitaires sur ceux-ci. Enfin, le 19 juin 2003, McDonald's demande à ses fournisseurs de poulets de ne plus utiliser d'antibiotiques pour accélérer la croissance des volailles.

McSymbole

Mais malgré ces bien jolies initiatives, le symbole de McDo reste et restera encore longtemps. Au palmarès des entreprises les plus malmenées par les activistes de tout acabit, McDonald's occupe la première position. Une position qu'aucune autre multinationale ne revendique, d'ailleurs. Partout dans le monde, on réclame la tête de Ronald. Mais ce que l'on attaque surtout, c'est le symbole que représente la multinationale : celui du capitalisme sauvage et du colonialisme américain. En réaction à l'invasion américaine en Irak en hiver 2003, beaucoup de groupes de pression ont lancé des appels au boy-

---

5 Réal Pelletier, « Le pétrole, énigme de la reconstruction de l'Irak », *La Presse*, 20 avril 2003, p. A13.

cottage de McDo, même si la chaîne n'a aucun lien apparent avec le conflit. Dans plusieurs pays, des activistes ont fait preuve de créativité dans leurs actions contre McDonalds's. En Corée, un militant a brandi un fusil et a escaladé les arches d'or d'un restaurant McDonald's, exhibant un masque du président américain George W. Bush. En Argentine, des protestataires ont bloqué l'entrée d'un franchisé, brandissant des pancartes sur lesquelles on pouvait lire : « Ici, nous vendons des Joyeux festins pour financer la guerre. » En Équateur, on a immolé publiquement des figurines Ronald McDonald. En France, les fenêtres d'un restaurant McDonald's ont été fracassées. À Istanbul, une bombe a explosé dans un établissement de la chaîne.

McBouffe

Si McDonald's n'était associée qu'à l'hégémonie états-unienne, elle pourrait encore s'en tirer à bon compte. Mais il y a plus. La chaîne est lourdement critiquée pour faire la promotion de la malbouffe, en plus d'orienter ses publicités vers les enfants. Depuis plusieurs années, Vegan (un organisme qui sensibilise la population aux vertus du végétarisme) distribue des échantillons de nourriture végétarienne à proximité de restaurants McDonald's. Pour contrer le fast-food, une nouvelle philosophie a même vu le jour : le *slow-food*. Ce mouvement, qui cherche à retrouver le plaisir de manger, veut aussi « protéger les petits fournisseurs de fine nourriture du déluge de la standardisation industrielle, assurer la survie des élevages en danger, des fromages, des plantes comestibles, des céréales et des fruits, de promouvoir l'éducation du goût, de protéger le droit au plaisir[6] ».

McSyndicat

McDo est aussi réputée comme étant résolument antisyndicale. En 1998, une tentative de syndicalisation d'un restaurant McDonald's à Saint-Hubert (Québec) s'est finalement soldée par la fermeture de l'établissement. McDo est aussi la cible des antimondialistes, comme José Bové, un agriculteur français qui est devenu le symbole de la résistance à la mondialisation après avoir saccagé une franchise McDonald's à Milau (France). Bové et ses alliés avaient ciblé McDonald's parce qu'elle représentait un exemple tangible de la mondialisation incontrôlée qui menace la culture locale. Encore une fois, ce n'est pas McDonald's en tant que telle, mais plutôt le « symbole » qu'elle représente qui est en jeu...

McLibel

En Angleterre, un des procès les plus célèbres ces dernières années est sans contredit celui de McDonald's contre Helen Steel et Dave Morris. Un procès pour diffamation qu'on baptisera le *McLibel*. L'origine de cette accusation est un tract, rédigé par les deux environnementalistes, qui dénonçait les côtés pervers de la chaîne de fast-food. Le *McLibel* a été le plus long procès de l'histoire de la justice anglaise. En juin 1997, la cour

---

[6] Extrait de *Ark Manifesto* (www.slowfood.com).

tranche et décide qu'une partie des « faits » révélés dans le fameux tract ne sont pas prouvés. On condamne Steel et Morris à payer 95 490 $ US à McDonald's. La décision est portée en appel en 1999 et la peine est réduite à 61 300 $ US. McDonald's n'a jamais tenté de percevoir l'argent. L'image de l'entreprise avait déjà été suffisamment salie par la mauvaise publicité entourant ce procès, on n'allait pas en rajouter en vidant les poches de deux environnementalistes mangeurs de tofu ! Pour plusieurs activistes, le *McLibel* est l'exemple parfait de l'utilisation de la justice au service d'une cause.

Quand son image est en jeu, McDonald's n'hésite pas à répliquer. Et souvent, c'est tout l'arsenal publicitaire et de relations publiques qui est appelé en renfort. Par le passé, McDo a poursuivi plusieurs petites entreprises qui utilisaient le préfixe « Mc » devant leur nom. Frank Yuen, propriétaire de McChina, une petite chaîne de restaurants de mets chinois, a été poursuivi en justice par McDonald's parce qu'il utilisait le préfixe « Mc ». En 1956, l'entreprise a même déjà intenté un procès à un certain Ronald McDonald (Illinois), qui avait baptisé son commerce McDonald's Family Restaurant. McDo a aussi attaqué un restaurant écossais nommé McMunchies (à Buckinghamshire) et un comptoir à saucisses au Danemark portant le nom de McAllan's.

Pour répondre aux attaques des antimondialistes, la multinationale inonde désormais le monde avec le même message : « McDo est une entreprise locale ». En Argentine, le géant a affiché des publicités où l'on pouvait voir un Big Mac accompagné du slogan « *Made in Argentina* ».

Même discours au Québec, où Jacques Mignault, vice-président de McDonald's Canada (région de l'Est), a tenu à préciser, dans une lettre ouverte publiée le 4 avril 2003 dans *La Presse*, que 80 % des restaurants McDonald's étaient la propriété d'entrepreneurs locaux et que McDonald's contribuait ainsi à l'économie québécoise en créant de l'emploi, en payant des taxes et en engageant des fournisseurs locaux. Le message est clair : si l'on boycotte McDonald's, c'est l'économie locale qui en souffrira. On en est presque à se demander comment pouvait rouler l'économie avant l'arrivée de McDonald's !

En 2003, McDonald's connaît une crise. Probablement la plus grande de son histoire. Et on n'a pas parlé de vache folle. Comment le géant du hamburger va-t-il s'en sortir ? Heureusement, il peut toujours compter sur une armée d'enfants prêts à tout pour un Joyeux festin. Eux, contrairement à leurs adultes de parents, n'en ont rien à cirer du colonialisme américain, de la malbouffe, du droit à la syndicalisation ou de la mondialisation...

Sources :

Mcspotlight
www.mcspotlight.com

Vegan
www.vegan.org

Microsoft, la magouilleuse
Siège social : Redmond (Washington)
Chiffre d'affaires (2002) : 28,365 milliards
de dollars

> *Il n'y a pas de bogues assez importants*
> *dans nos logiciels pour qu'un nombre assez*
> *important d'utilisateurs s'en soucient.*

BILL GATES, *FOCUS Magazine* (octobre 1995)

> *Les prix pour Windows et les logiciels de*
> *Microsoft sont trop élevés, leur qualité est pauvre,*
> *particulièrement en matière de stabilité,*
> *et il y a trop peu de choix.*

JAMES LOVE, directeur
du Consumer Project on Technology

1981. Un nouveau système d'exploitation, MS-DOS, est livré avec les micro-ordinateurs fabriqués par IBM. Celui à qui l'on doit ce système révolutionnaire, véritable cœur de l'ordinateur, c'est Bill Gates. En fait, pas exactement...

C'est la mère de Bill Gates, Mary, qui a présenté son jeune informaticien de fils aux dirigeants d'IBM. Digne représentante d'une famille aisée, celle-ci est une personnalité bien connue dans son patelin, Seattle. Mary Gates a rencontré John Opel, patron d'IBM, alors qu'ils siégeaient tous deux au conseil d'administration de United Way. À cette époque, Opel cherche par tous les moyens à mettre la main sur un système d'exploitation fiable afin de damer le pion à Apple Computer, qui lui livre une concurrence de plus en plus féroce dans le marché des micro-ordinateurs. Mary Gates, remplie de bonnes intentions, lui parle de son fils chéri, William, un informaticien qui tient depuis 1975 une petite boîte de logiciels aux alentours de Seattle.

« Gates ne [connaît] strictement rien aux systèmes d'exploitation[1]. » Mais plutôt que de décliner l'offre d'IBM, celui qui est appelé à devenir l'homme le plus riche du monde va convaincre une petite firme, Seattle Computer Products, de lui vendre, pour une bouchée de pain, une licence de son système d'exploitation maison, baptisé Q-DOS. Au cours des négociations avec Seattle Computer Products, Gates se garde bien de mentionner le nom de son mystérieux client. Qui sait, peut-être qu'en sachant qu'il s'agit d'IBM, monstre sacré de l'informatique, pourrait-on changer le prix de la licence ?

Quelque temps plus tard, Gates propose donc à IBM ce système d'exploitation, qui est bientôt rebaptisé MS-DOS. Main dans la main, Microsoft et IBM « inventent » donc un système d'exploitation à partir de lignes de code pratiquement volées... Qui plus est, Gates réussit à obtenir tous les droits d'exploitation pour MS-DOS. Le succès commercial du nouveau système assure

[1] Wendy Goldman Rohm, *The Microsoft File*, Time Books, 1998.

à Microsoft une confortable sécurité financière. Bill Gates, maître des stratégies louches, ne manquera pas, au cours de sa quête de la fortune, d'utiliser la recette qui lui a valu le triomphe de MS-DOS : les manigances.

Les manigances, bien que courantes dans le monde de l'entreprise, prennent des proportions impressionnantes dans le cas de Microsoft. Selon *le Petit Robert*, le mot « manigance » signifie : « manœuvre secrète et suspecte, sans grande portée ni gravité ». Le terme semble aller comme un gant à Microsoft, sauf peut-être pour la partie qui concerne la portée et la gravité… Parce que, disons-le d'emblée, les manigances de Microsoft ont probablement changé la face du monde. Manigances qui, d'ailleurs, ont tôt fait de mettre la puce à l'oreille du département de la Justice, qui poursuivra Microsoft en vertu de la loi anti-trust… Le procès qui s'ensuit défraie la chronique fréquemment au cours des années 1990, jusqu'au 7 juin 2000, jour où la justice américaine impose le démantèlement de Microsoft en deux entités distinctes pour abus de position dominante. Ce verdict est toutefois révoqué en cour d'appel un peu plus d'un an après.

Aujourd'hui, Microsoft, c'est : le géant incontesté du logiciel, des technologies Internet et de l'informatique personnelle et d'affaires. Le traitement de texte Word est utilisé par toutes les secrétaires, le chiffrier Excel par tous les banquiers, le logiciel de présentation Powerpoint par tous les consultants en marketing, le fureteur Internet Explorer par tous les internautes (ou presque…). Windows, le système d'exploitation vedette de Microsoft, gruge 90 % du marché. En contrôlant à la fois le marché des systèmes d'exploitation et des logiciels, Microsoft récolte le beurre et l'argent du beurre. Mais ce n'est pas tout. Microsoft, c'est aussi des consoles de jeux vidéo Xbox, qui se sont vendues à 3,9 millions d'exemplaires dans les 8 mois suivant leur lancement (novembre 2001), ainsi qu'une liste énorme de matériel informatique. Microsoft compte quelque 50 000 employés et affiche des dépenses publicitaires annuelles de 1,27 milliards de dollars. Finalement, Microsoft, c'est avant tout Bill Gates ; l'homme le plus riche de la Terre avec une fortune déclinante, mais tout de même évaluée à près de 40 milliards de dollars.

Un virus nommé *I Love You*

4 mai 2000. À la vitesse de l'éclair, un virus polymorphe infecte des millions d'ordinateurs dans le monde entier. Il s'appelle *I Love You*, arrive par courriel et endommage les fichiers sur le disque dur, les rendant souvent inutilisables. Bien qu'il soit virtuellement impossible de vérifier l'ampleur des dégâts réels causés par ce virus, on peut la situer entre gigantesque et catastrophique.

Pourquoi parler de ce virus ? Parce qu'il n'est que la pointe de l'iceberg. Il démontre bien la raison pour laquelle il n'est pas avantageux de dépendre tous d'une seule et même technologie, fonctionnant avec la même logique et comprenant, invariablement, les mêmes failles. Le quasi-monopole de Windows fait des sociétés occidentales des otages technologiques aux mains des plus vils pirates du cyberespace.

Le virus *I Love You* n'était qu'un petit programme écrit en Visual Basic, un langage mis au point par Microsoft. Il exploitait une faille du logiciel de courrier électronique Outlook, créé par Microsoft et n'affectait que les utilisateurs du système d'exploitation Windows, conçu par on-sait-qui… Aujourd'hui, il ne se passe pas une semaine sans qu'un nouveau virus apparaisse et se propage aux quatre coins du réseau Internet. Dans la grande majorité des cas, ces virus exploitent une faille de Windows. Les pirates informatiques se donnent rarement la peine de créer des virus pour d'autres plates-formes que Windows. Il est si plaisant d'attaquer le plus gros, et les résultats sont instantanés.

« Avec agressivité, Microsoft cherche à définir le futur de l'informatique personnelle, de l'édition Internet et du commerce électronique. Il a déjà acquis une position dominante dans l'industrie du micro-ordinateur et il n'en peut plus d'étendre sa portée », a écrit Ralph Nader[2], qui a fait de sa croisade contre Microsoft une cause quasi personnelle. De nombreuses personnes mènent aussi un combat contre l'incontournable géant. Et désormais, une idée commence à s'imposer comme étant la solution idéale pour contrer l'hégémonie du monstre de l'informatique. Son nom : Linux. Sa particularité : le code source libre.

Une révolution nommée Linux

Mis au point dans la pénombre de la chambre à coucher de l'informaticien Linus Torvalds en 1991, Linux est un système d'exploitation au code source libre. Au cours des années, ce code a

---

[2] Ralph Nader, « The Microsoft Menace », *Slate Magazine*, 1997.

reçu de nombreuses améliorations de la part d'une communauté grandissante d'informaticiens. Des idéalistes qui cherchaient une solution de rechange stable et gratuite à Windows. On crée des logiciels pour la plate-forme, on l'améliore, on la peaufine. Et ce qui n'était au départ qu'un « gugusse » d'informaticien en mal de vie sociale est tranquillement devenu un système d'exploitation de haut calibre, léger, fonctionnel et qui gagne peu à peu en crédibilité au sein de la communauté informatique. « Il est plus sécuritaire, et surtout beaucoup mieux armé pour faire face aux virus, vers et autres saloperies qui affectent l'univers de l'Oncle Bill[3]. » Un nombre grandissant de départements d'administration publique décide même d'adopter Linux. À la Ville de Munich, 14 000 postes de travail roulent sous Linux plutôt que sous Windows. IBM rapporte que plus de 75 de ses clients gouvernementaux ont préféré Linux (des départements publics situés en France, en Espagne, en Angleterre, en Australie, au Mexique, aux États-Unis et au Japon).

Bien qu'encore toute-puissante, Microsoft tremble néanmoins devant l'inquiétante percée de Linux. C'est que l'invention de Linus Torvalds possède une carte que Microsoft n'a pas : elle est gratuite. Tranquillement, Linux est en train de changer le marché, exactement comme Microsoft l'a fait une vingtaine d'années auparavant. En mai 2003, l'*Internet Herald Tribune* prétendait même que le responsable mondial des ventes de

---

[3] Michel Dumais, « Peu d'enjeux technologiques », *Le Devoir*, 2 juin 2003, p. B7.

Microsoft avait demandé à ses représentants de jouer le tout pour le tout pour ne pas perdre une vente face à Linux-le-baveux, ce qui signifierait même de donner le produit au besoin ! Heureusement pour elle, Microsoft a des tentacules ailleurs que dans le domaine de l'informatique, car l'avalanche des logiciels au code source libre pourrait lui faire très mal.

Sa compagnie perd peut-être quelques plumes, mais le jour où l'on s'exclamera « Pauvre Bill ! » devant ses déboires financiers n'est pas encore arrivé. Bill Gates a plus d'une manigance dans son sac. Qui sait ce qu'il mijote à présent ?

Sources :

**Consumer Project on Technology –
Microsoft Antitrust Page**
www.cptech.org/ms/

Microsoft Boycott
www.msboycott.com

Monsanto, le haricot magique
Siège social : Saint Louis (Missouri)
Chiffre d'affaires (2002) : 4,673 milliards
de dollars

> *Aider les fermes familiales à s'aider elles-mêmes*
> *est une façon importante de bâtir des vies meilleures.*
> Monsanto

> *Monsanto creuse elle-même sa tombe*
> *en poursuivant avec autant d'arrogance*
> *son offensive commerciale transgénique.*
> Lindsay Keenan, Greenpeace

29 novembre 1901. John Francis Queeny, un entrepreneur qui a fait carrière dans l'industrie pharmaceutique, se lance dans les affaires. Le nom de jeune fille de sa femme, Olga Mendez Monsanto, deviendra celui de sa nouvelle entreprise. Le tout premier produit commercialisé par Monsanto, la saccharine, crée déjà la controverse. La saccharine est une sorte d'édulcorant que l'on vend alors à une jeune entreprise dynamique : Coca-Cola. Le produit est vigoureusement critiqué pour des raisons de santé publique. Ça n'arrête pas Monsanto, qui ajoute bien d'autres produits à

son catalogue : la vanilline, la caféine (1904), l'aspirine (1917), des insecticides et des herbicides, des fibres synthétiques, etc. Les produits de Monsanto portent des noms aussi rassurants que Randox (1956), Vegadex (1957), Avadex (1961), Ramrod (1965), Roundup (1970), Machete (1971), etc. Hum…

En 1981, Monsanto décide de diriger ses activités vers les nouvelles avenues que proposent les percées dans le secteur des biotechnologies. Elle s'associe même à des universités afin de poursuivre et d'orienter les recherches dans ce domaine. En 1983, on commence à faire pousser des plantes génétiquement modifiées et plusieurs produits de Monsanto commencent à être autorisés en vente libre. Des semences (soja, coton, pommes de terre, maïs, colza, etc.) qui sont génétiquement modifiées afin de résister aux herbicides conçus, aussi, par Monsanto. Ainsi, la société s'assure que les agriculteurs utiliseront à la fois leurs semences et leurs herbicides. Pas bête… Cette recette « chimico-transgénique » fait fureur.

Aujourd'hui, Monsanto, c'est : un leader dans les produits agricoles, le n° 1 des herbicides (grâce à son produit vedette Roundup), le premier vendeur de semences de maïs et le deuxième fournisseur de semences de soja et ce, en Amérique du Nord, en Amérique latine et en Asie. Monsanto produit 91 % de tous les organismes génétiquement modifiés (OGM) sur la planète et est aussi le plus gros vendeur de produits conçus pour améliorer la production laitière (avec Posilac, une hormone de croissance bovine qui augmente la production de lait de 25 %).

En avril 2003, Innovest Strategic Value Advisor[1] donne à Monsanto la note *EcoValue'21 triple C*, ce qui constitue la plus mauvaise note sur le plan environnemental. En 2002, Monsanto affiche un recul de 14 % par rapport à ses ventes de 2001. C'est que les stratégies transgéniques du géant inquiètent de plus en plus...

Mon blé a un je-ne-sais-quoi

Le géant de la productivité agricole joue actuellement un jeu dangereux. Celui de traficoter une des denrées les plus importantes du monde : le blé. Monsanto a mis au point une saveur de blé transgénique qui résiste à son herbicide maison, Roundup. La nouvelle semence est connue sous le nom de blé Roundup Ready ou blé RR.

Roundup, l'herbicide de Monsanto, ne laisse aucune herbe nuisible vivante. En fait, il est tellement efficace qu'il peut même tuer des plantes aquatiques s'il est versé dans une rivière. « Si on asperge Roundup sur un champ de blé, même le blé brûle, explique Éric Darier, spécialiste des OGM chez Greenpeace Canada. Si la plante est plus résistante, le cultivateur peut mettre plus d'herbicide. Le blé RR permet à Monsanto de contrôler le marché et de créer une dépendance en forçant les agriculteurs à acheter non seulement les semences, mais aussi l'herbicide qui va avec[2]. »

Malgré tout ce qu'on en dit, les OGM n'améliorent actuellement en rien le goût des aliments et n'augmentent pas leur valeur nutritive.

---

[1] Innovest Strategic Value Advisor, un cabinet financier présent à New-York, Londres, Paris et Toronto, a analysé les risques pour les investisseurs de la stratégie transgénique de Monsanto.

[2] Extrait d'une entrevue accordée à l'auteur par Éric Darier le 26 mai 2003.

Soixante et onze pour cent des semences transgéniques utilisées dans le monde ne font que résister aux herbicides. Le discours de Monsanto pour nous faire avaler le concept des OGM n'est que de la science-fiction, soutient Éric Darier : « Ça permet d'endormir l'opinion publique en lui disant que les OGM vont nourrir le Tiers-Monde et offrir des produits miraculeux. »

Au début de 2003, Monsanto soumet une demande d'approbation pour que son blé RR puisse être commercialisé au Canada. Si le processus fonctionne comme prévu, cette variété transgénique pourrait pousser dans nos prairies dès 2004. Mais le problème avec le blé transgénique, comme avec tous les autres organismes génétiquement modifiés, c'est qu'on ne sait pas…

La consommation congrue d'un tel blé pourrait-elle causer des effets néfastes à long terme ? Des scientifiques que l'on ne connaît pas prétendent que non. D'autres scientifiques que l'on ne connaît pas davantage soutiennent que oui. Les arguments défavorables au blé transgénique sont aussi nombreux que ceux qui lui sont favorables. Bref, pour le commun des mortels, c'est le dilemme. On ne sait pas.

De nombreux groupes écologistes s'opposent farouchement à la commercialisation du blé RR. D'abord, on soutient que l'introduction du blé transgénique dans les cultures risque de mettre sérieusement en péril la pureté du blé non transgénique. Il serait pratiquement impossible de contrôler la diffusion dans l'environnement d'un grain de blé transgénique. En fait, peut-on le contrôler ? Est-ce que les populations de blé naturel seraient alors vraiment menacées ? On ne sait pas.

L'introduction du blé transgénique pourrait causer des perturbations écologiques. La nature est, on le sait, très fragile. Des millions d'années d'évolution ont créé cet écosystème extrêmement complexe dans lequel chaque être vivant occupe un rôle bien précis. Qui sait quels effets pourraient avoir sur l'environnement l'introduction du blé transgénique et l'utilisation systématique d'herbicides à base de glyphosate ? On ne sait pas.

Les autorités canadiennes et américaines sont, à ce jour, incapables de dire avec précision quelles pourraient être les conséquences de l'introduction du blé transgénique sur les populations. On ne sait pas.

Plusieurs pays qui achètent du blé canadien refusent d'acheter du blé modifié génétiquement. Ken Ritter, membre du conseil d'administration à la Commission canadienne du blé, déclare : « Plus de 80 % des marchés où nous sommes présents ne sont pas ouverts à l'achat de blé OGM. Si nos marchés les plus payants à travers le monde nous tournent le dos, il en coûtera des millions de dollars par année aux agriculteurs ». Ça, on le sait.

L'introduction du blé modifié génétiquement comporte des risques « inutiles et dangereux », selon Greenpeace. En effet, lorsqu'on commence à s'amuser avec la nature, on joue avec ce qui est, encore aujourd'hui – malgré notre grande « évolution » – la seule chose sur la Terre dont on ne peut se passer : l'environnement. Depuis des millénaires, l'humanité a pu se débrouiller sans trop de problèmes avec un blé naturel. Devant les prétentions d'une compagnie qui cherche à changer les lois de la nature, il est normal de se poser des questions.

155

L'avenir de Monsanto et des OGM

Peut-on vraiment parler de l'avenir des OGM ? Actuellement, de nombreux groupes de pression, Greenpeace en tête, s'opposent farouchement aux OGM et de plus en plus de gens se convertissent au « bio ». « L'inévitabilité de la contamination environnementale et les inquiétudes quant aux impacts sur la santé humaine ont conduit les cultures transgéniques et les produits contenant des ingrédients transgéniques à faire partie des produits les plus fortement rejetés de tous les temps[3]. » Devant la pression populaire, des entreprises décident de rejeter les produits génétiquement modifiés. McDonald's et McCain sont au nombre des entreprises ayant refusé d'acheter des pommes de terre transgéniques. L'Union européenne (UE) impose toujours un moratoire sur les produits transgéniques. En juillet 2003, après une série de protestations provenant du Canada et des États-Unis, l'UE a ouvert la voie aux OGM, mais en mettant un bémol : « Lorsque la présence des OGM dépassera 0,9 % dans un produit, le consommateur devra en être averti par l'étiquetage[4]. » Pour une fois, les consommateurs pourront choisir s'ils veulent consommer ou non des aliments transgéniques.

Le Protocole de Carthagène sur la prévention des risques biotechnologiques pourrait fort bien entrer en vigueur en 2004. Ce protocole international

---

[3] *Innovest Strategic Value Advisor*, rapport sur les risques de Monsanto pour les investisseurs, avril 2003.

[4] « L'UE ouvre la voie à la levée du moratoire sur les OGM », *La Presse*, 3 juillet 2003, p. A5.

permettra aux pays importateurs d'OGM « d'être pleinement informés des risques et d'éventuellement interdire l'importation ». Des limitations qui risquent fort de ne pas faciliter la tâche aux tenants des merveilles biotechnologiques. En juin 2003, 20 pays avaient ratifié le protocole, qui a besoin de 50 ratifications pour entrer en vigueur. Même aux États-Unis, où l'étiquetage des OGM n'est pas obligatoire, les sondages révèlent qu'une forte majorité d'Américains voudrait que l'on identifie, sur l'emballage, les produits qui contiennent des ingrédients génétiquement modifiés, et un sondage du *Time* révèle même que 58 % des Américains ne veulent pas d'OGM dans leur assiette.

Les Monsanto de ce monde et les chantres de la biotechnologie ont devant eux l'énorme tâche de faire avaler au peuple les bienfaits des OGM. La partie est loin d'être gagnée et, même si les puissants lobbys pro-OGM réussissent à imposer leurs produits partout sur la planète, en bout de ligne, c'est le consommateur qui choisit. Le véritable référendum sur les OGM se fera bientôt au marché du coin, lorsque l'honnête citoyen devra choisir entre un pain tranché fait avec du blé transgénique ou un pain tranché fabriqué avec du blé naturel…

Source :

Greenpeace
www.greenpeace.ca

Nike, la mythomane
Siège social : Beaverton (Oregon)
Chiffre d'affaires (2002) : 9,893 milliards
de dollars

Notre modèle d'affaires en 1964 est essentiellement
le même que notre modèle aujourd'hui :
nous grandissons en investissant notre argent
dans le design, le développement, le marketing
et les ventes, et ensuite nous mandatons d'autres
compagnies pour confectionner nos produits.

NIKE

Nike est le modèle d'une nouvelle entreprise
virtuelle qui résout les vieux problèmes
du travail d'une nouvelle façon.
CHARLES DERBER, auteur de *Corporate Nation*

1962. Phil Knight, un étudiant en comptabilité à
l'Université de l'Oregon, a l'incroyable idée de
commercialiser des chaussures high-tech et bon
marché fabriquées au Japon. Son plan ? Déloger la
domination des Allemands dans le lucratif marché
américain des souliers de sport et de jogging.

C'est que Phil Knight est aussi un fana de
course à pied. À l'université, il suit des cours avec

159

Bill Bowerman, un entraîneur bien connu sur le campus. Knight parle de son projet à Bowerman et, la même année, les deux protagonistes décident d'investir chacun 500 $ pour fonder une entreprise qui importera des chaussures japonaises de marque *Onitsuka Tiger*. Celles-ci commencent à chausser de plus en plus d'Américains. Mais bientôt, Bowerman, cherchant sans cesse à améliorer le design des souliers, commence à réfléchir à une nouvelle approche qui assurera le succès de la compagnie. C'est ici qu'il crée une nouvelle marque : Nike. Pour les curieux, le nom est inspiré de celui de la déesse grecque de la Victoire.

Aujourd'hui, Nike est la plus grande compagnie d'articles de sport du monde. Elle accapare 37 % du marché. Ses produits se résument plus aux souliers. Vêtements, lunettes de soleil, chronomètres, articles de sport : l'entreprise produit pratiquement n'importe quoi. C'est que Nike, c'est avant tout une marque qui vaut 7,72 milliards de dollars[1]. « Le travail de production d'une paire de souliers de course Nike ne compte que pour 4 % du prix de vente[2] ! » Coller le logo Nike sur n'importe quel machin pour sportifs est un gage de succès. On pourrait commercialiser des boules de pétanque signées Nike qu'il ne serait pas surprenant de voir ce sport gagner en popularité auprès des jeunes.

Il était une fois dans l'Est...

17 octobre 1996. Pivot historique : un reportage à l'émission *48 Hours*. On y dévoile les conditions

---

[1] « 2002 Global Brands Scoreboard », *Business Week*, 5 août 2002.
[2] Tony Clark et Sarah Dopp, *Challenging McWorld*, Canadian Centre for Policy Alternatives, 2001.

de travail dans les *sweatshops* de Nike en Asie. Nous y apprenons que Nike a commencé par s'installer en Corée, puis en Indonésie (lorsque les travailleuses coréennes ont commencé à vouloir s'organiser) et finalement au Viêtnam, où les salaires sont encore plus bas... Ce reportage télévisé sera suivi d'articles dans le *New York Times*, le *Financial Times*, le *San Francisco Chronicle* et ce, jusqu'en 1997. Des dizaines de personnes et d'organisations prétendent que des travailleurs dans des usines fabriquant des produits Nike suent pour un salaire inférieur au minimum applicable dans leur pays, qu'ils sont encouragés à faire plus d'heures supplémentaires que la réglementation ne le permet, qu'ils sont sujets à des abus physiques, verbaux et sexuels, et qu'ils sont exposés aux substances toxiques, au bruit, à la chaleur intense et ce, sans la moindre protection.

Jouissant d'une fantastique couverture médiatique, la cause des travailleuses asiatiques sème la grogne dans l'opinion publique. Pour plusieurs, l'ennemi public n° 1 devient Nike qui, le sourire en coin, propose des souliers pour les vrais sportifs : à la fine pointe de la technologie, mais fabriqués par des travailleurs sous-payés dans des conditions moyenâgeuses. L'affaire Nike en Indonésie a constitué l'une des « plus publicisées et tenaces campagnes contre une marque[3] ». La campagne internationale anti-Nike a laissé la compagnie avec une gigantesque tâche de relations publiques.

Afin de stopper l'hémorragie et calmer quelque peu les critiques, les manifestations et les appels

---

[3] Naomi Klein, *No Logo : Taking Aim at the Brand Bullies*, Alfred A. Knopf, Canada, 2000.

au boycottage, Nike organise en effet une extraordinaire campagne de relations publiques. Les porte-parole officiels de la compagnie font des déclarations aux médias, contredisant tout ce qu'on a pu entendre sur les ateliers de misère et soutenant que Nike n'est pas responsable de ce que font leurs sous-traitants. On dit, entre autres, que les travailleurs sont payés le double du salaire minimum local, qu'ils reçoivent des repas gratuits et des soins de santé, et que leurs conditions de travail respectent les lois en vigueur dans leur pays. On va même jusqu'à commander une étude indépendante, réalisée par un ancien ambassadeur aux Nations Unies (Andrew Young), qui confirme que les travailleurs en Asie ne sont pas maltraités. Mais toute cette entreprise de séduction ne convainc pas les activistes, qui continuent à relever des exemples de mauvais traitements, malgré les rapports et les dires de Nike.

Le droit de mentir

1998. Marc Kasky, fin cinquantaine, est un environnementaliste et activiste vivant à San Francisco. Marc est « un joggeur qui a bien déjà eu quelques paires de Nike dans sa garde-robe[4] ». Même s'il n'a jamais subi de préjudices directs de la part de Nike, Kasky décide quand même d'entamer des procédures judiciaires contre la multinationale en l'accusant d'avoir fait de fausses déclarations concernant les conditions de travail des employés de ses *sweatshops* outre-mer.

---

[4] Steve Rubenstein, « Marc Kasky, S.F. Man Changes from Customer to Nike Adversary », *San Francisco Chronicle*, 3 mai 2002.

« Nous sommes tous responsables de nos mots et de nos actions. Nike s'est présentée comme un modèle de citoyen corporatif, et ça me décevait et me décourageait à un tel point que j'ai commencé à soupçonner autre chose », confiait Kasky au *San Francisco Chronicle*. La Cour de Californie a jugé la cause de Kasky recevable. Le procès a donc pu avoir lieu.

Les allégations de Kasky sont claires : Nike a fait des fausses déclarations à propos des conditions de travail des employés de ses usines en Asie et ce, dans l'unique but de convaincre les consommateurs de continuer à acheter ses produits. Ce procès reposait donc essentiellement sur la notion de discours commercial. On cherchait à savoir si les déclarations de Nike, qui étaient faites par voie de communiqués et par l'entremise de porte-parole, pouvaient entrer dans la définition de discours commercial, comme c'est le cas, par exemple, pour la publicité. Cette question semble bien bête, mais elle change tout. Les Américains brandissent dès qu'ils en ont la chance ce fameux Premier amendement, enchâssé dans leur Constitution, qui leur confère l'entière liberté d'expression. Au pays de l'Oncle Sam, n'importe qui peut dire n'importe quoi (mensonge ou pas), sauf dans le cas d'une publicité, où la fausse représentation est interdite. Or, est-ce que les porte-parole qui ont raconté des mensonges doivent être protégés en vertu du Premier amendement ou ont-ils tenu un discours commercial ? En avril 2002, la Cour suprême de Californie a considéré que cela faisait partie d'un discours commercial et que, par conséquent, la fausse représentation était illégale. Kasky : 1 ; Nike : 0.

À la suite de cette décision, Nike décide d'aller en appel devant la Cour suprême des États-Unis, en demandant qu'il soit considéré comme inconstitutionnel qu'un individu poursuive une entreprise à cause d'allégations de celle-ci quant aux conditions de travail d'employés vivant outre-mer. En d'autres termes, qu'il soit impossible pour un individu de poursuivre une entreprise pour des raisons qui ne l'affectent pas directement. Le 26 juin 2003, la plus haute juridiction du pays a « jugé qu'un activiste de San Francisco pouvait poursuivre en justice l'équipementier sportif Nike pour des publicités et des déclarations mensongères défendant la manière dont il fait travailler ses employés dans des pays du tiers-monde[5] ». Kasky : 2 ; Nike : 0.

La voie est donc libre pour Marc Kasky, qui peut poursuivre Nike pour déclarations trompeuses. Au moment de la rédaction de ce livre, Kasky ne savait pas encore s'il allait finalement poursuivre Nike. Mais une chose est sûre : si le procès a lieu, Nike devra prouver hors de tout doute que les conditions de travail des employés en Asie sont telles que la compagnie le déclarait en 1996 et en 1997. Comment Nike se sortira-t-il de ce faux pas ? L'affaire risque d'être très intéressante à suivre...

Sources :

International Right To Know
www.irtk.org/nike.html

Reclaim Democracy
reclaimdemocracy.org

---

[5] Associated Press et Agence France-Presse.

Nous essayons de toujours faire la bonne chose.
PROCTER & GAMBLE

Souvent, les animaux se brisent le cou ou le dos
afin d'échapper à la douleur. Ceux qui survivent sont
utilisés encore pour d'autres tests douloureux.
IDA, extrait du site Internet www.pandgkills.com

Des chandelles et du savon

1837. Cincinnati. William Procter est confection-
neur de bougies. James Gamble fabrique des
savons. Mariés à deux sœurs, la rencontre de ces
deux hommes semble inscrite dans le ciel. À la
suggestion de leur beau-père, Procter et Gamble
décident d'associer leurs talents dans une entreprise que l'on connaîtra désormais sous le nom
original de Procter & Gamble (P & G). Le
12 avril 1837, les deux beaux-frères commencent
donc à confectionner et à vendre du savon et des
chandelles, et à s'imposer dans ces nobles secteurs.
En 1862, cette PME qui grossit fournit le savon et

les bougies aux armées de l'Union. Mais, avec l'arrivée de l'éclairage électrique, l'industrie de la bougie s'éteint et Procter & Gamble décide d'abandonner ce produit pour mieux se concentrer sur les savons. En 1879, l'entreprise lance le savon blanc Ivory. En 1890, déjà 30 sortes de savons sont désormais commercialisées par Procter & Gamble.

1937. Procter & Gamble est centenaire et a un chiffre d'affaires annuel de 230 millions de dollars. Son époque « bougies et savons » est bel et bien révolue. La compagnie commercialise désormais le saindoux Crisco, divers produits pour les soins des cheveux, des détergents pour la lessive et des savons pour le corps. La société n'en restera pas là. P & G lancera des marques qui décoreront bientôt les dessous d'évier, les salles de bains et les buanderies d'Amérique : la lessive Tide (1946), le dentifrice Crest (1955), l'assouplisseur Downy (1960), les couches jetables Pampers (1961), le shampoing revitalisant Pert Plus[1] (1986), le shampoing Pantene Pro-V (1992) et bien d'autres...

Des marques qui parlent

P & G est « l'université postdoctorale du marketing et de la publicité [2] ». En 1924, l'entreprise crée un des premiers services consacrés à l'étude des habitudes des consommateurs et des comportements d'achat. C'est à ce moment que l'on commence à s'intéresser sérieusement à la gestion des marques de Procter & Gamble. En 1931, l'entreprise engage Neil McElroy, qui sera

---

[1] Prêt Plus au Québec.
[2] Claude Cossette, *La Publicité, déchet culturel*, Éditions de l'IQRC, 2001.

responsable du service de la promotion. Ce dernier organise son service sous forme d'équipes dont chacune a la responsabilité de mettre au point l'image et la philosophie d'une marque en particulier. Chaque équipe crée une stratégie marketing adaptée à une marque, et c'est ainsi que naît le désormais célèbre système de gestion des marques de Procter & Gamble. Au fil des années, la multinationale a réussi à imposer des marques qui font partie intégrante du paysage culturel nord-américain : Tide lave plus blanc, Crest combat la carie, Head & Shoulders élimine les pellicules, Scope rafraîchit l'haleine, Secret est assez fort pour un homme, mais conçu pour une femme... Lorsqu'on peut associer spontanément une marque avec le besoin auquel elle est censée répondre, c'est signe que la stratégie marketing fonctionne à merveille.

La télévision a grandement aidé à diffuser les bonnes nouvelles de P & G. Seulement cinq mois après l'introduction de la télé aux États-Unis, l'entreprise diffuse son premier spot publicitaire pour Ivory. Le roi du savon commanditera nombre de téléromans, qui seront rapidement connus sous le nom de romans-savons.

Aujourd'hui, Procter & Gamble, c'est : 102 000 employés et quelque 300 marques (dont Tide, Pampers, Pringles, Noxzema, Clairol, Hugo Boss, Old Spice) qui sont vendues dans 160 pays. La valeur de l'ensemble des marques de l'entreprise est de 12 milliards de dollars américains. « Ces marques représentent la moitié des ventes et des revenus de la compagnie[3]. »

---

[3] Déclaration de A. G. Lafley, PDG de Procter & Gamble.

Chaque jour, 30 millions de bébés font caca dans des Pampers, 32 millions de lessives sont faites avec Tide, 25 millions de femmes ont leurs règles dans des Always et 150 millions de sourires sont une gracieuseté de Crest...

L'amie des animaux

Été 1997. Michele Rokke travaille depuis huit mois au laboratoire Huntingdon Life Sciences (New Jersey), un centre qui effectue des tests clini-ques, notamment sur des animaux, pour diverses entreprises de renom. Procter & Gamble fait partie du lot. Ex-coiffeuse et végétarienne dans la trentaine, Michele Rokke se prépare à être témoin d'une scène horrible. Ce jour-là, au labo, on fait des tests sur des singes. Les techniciens commen-cent par attacher solidement un singe sur une table d'opération. Après avoir injecté à l'animal un sérum mortel, un technicien s'apprête à lui ouvrir la poitrine. Le singe, pas encore tout à fait mort, tressaille... On pourrait arrêter l'opération et lui donner un peu plus d'injection mortelle, mais on ne le fait pas. Le technicien charcute l'ani-mal qui continue d'avoir des spasmes. « Je n'ai pas de diplôme ou rien de tel, mais ça me fascine », déclare Michele Rokke alors que la scène se déroule devant ses yeux. Elle ne pense pas ce qu'elle dit. Parce que Michele n'est pas une employée comme les autres. C'est une espionne de l'organisme PETA (People for the Ethical Treatment of Animals) qui s'est infiltrée dans ce laboratoire afin de photographier et de filmer les mauvais traitements infligés aux animaux. Les grosses lunettes noires que Michele porte pendant l'autopsie des primates contiennent une caméra miniature. Souriez !

Les images de Michele Rokke font le tour du monde et révoltent tous les amis des animaux. Immédiatement, Procter & Gamble est pointée du doigt. « Procter & Gamble était une cliente [de Huntington Life Sciences] à ce moment-là, dit Michele Rokke qui travaille aujourd'hui pour Animal Protection in New Mexico. Elle [P & G] a brisé son contrat avec le labo après la sortie de la vidéo. Presque tous les singes que l'on voit dans la vidéo sont ceux de P & G [...] la plupart étaient utilisés lors de tests pour un décongestionnant nasal. »

Michele Rokke et PETA sont poursuivis par Huntindgdon Life Sciences (HLS), qui les accuse d'avoir filmé ces images illégalement. C'est que Michele avait signé, lors de son embauche au labo, une clause de confidentialité. La Cour donnera raison à HLS et interdira à PETA de distribuer ou d'utiliser les centaines de documents – photographies et vidéos – que Michele a glanés au cours de ses huit mois d'espionnage.

L'histoire des singes de Procter & Gamble n'est qu'un bref épisode dans le grand combat que mènent les amis des animaux contre la multinationale. En Angleterre, l'organisme Uncaged chapeaute, depuis plusieurs années, une campagne de boycottage des produits Procter & Gamble. Cet organisme prétend que 50 000 animaux meurent chaque année sous les bons soins du « tueur » de Cincinnati. « P & G a été ciblée parce qu'ils sont très visibles, à cause des nombreuses marques que la compagnie possède, explique Max Newton, membre d'Uncaged. C'est une des plus grandes compagnies du monde et l'une des plus notoires utilisatrices d'animaux pour des tests de produits non médicamenteux. Si P & G cessait d'effectuer des tests sur des animaux, il n'y aurait plus d'excuses pour que toutes les autres compagnies fabriquant des produits similaires continuent à faire ce genre de tests. »

En novembre 2002, l'organisme américain In Defense of Animals (IDA), demandait à l'USDA (United States Department of Agriculture) l'accès aux documents de Michele Rokke en vertu du *Freedom of Information Act*[4]. Devant le peu d'empressement du département à montrer ces documents, IDA poursuit actuellement l'USDA pour ne pas avoir respecté le *Freedom of Information Act*.

En parallèle, IDA mène une campagne contre Procter & Gamble : *P & G Kills*. Le site Internet de cette campagne tient méticuleusement à jour la liste de tous les nouveaux produits de P & G à boycotter. Le 24 mai 2003 se tenait la 7e Journée internationale de protestation contre P & G. L'année précédente, des protestataires provenant de 80 pays avaient signifié à P & G qu'ils n'acceptaient pas les tests sur les animaux.

Du côté de Procter & Gamble, on ne nie pas que des tests sont effectués sur des animaux, mais on prétend que tout est fait pour utiliser d'autres moyens « le plus souvent possibles ». On dit même que 80 % des tests sur les animaux ont été éliminés. On utiliserait des bêtes uniquement pour tester les produits contenant de nouvelles substances chimiques n'ayant jamais été testées sur les animaux auparavant et pour lesquelles il n'existe pas de tests sans animaux qui soient conformes.

---

[4] Pendant américain de la Loi sur l'accès à l'information.

Uncaged ne croit pas aux discours de P & G et réplique en soutenant que plus de 500 compagnies qui offrent *grosso modo* les mêmes produits que P & G ne font plus de tests sur les animaux, tout en ajoutant que les différences physiologiques entre les espèces animales peuvent donner des indications imprécises pour les chercheurs, ce qui aurait causé par le passé quelques problèmes avec des produits commercialisés par Procter & Gamble. Ainsi, la crème Oil of Olay New Skin Discovery et la crème Max Factor Active Response se sont avérées être la cause d'importantes irritations aux yeux et à la peau. Des tests de toxicité utilisant des cultures de cellules humaines seraient deux ou trois fois plus précis que des tests sur des rats ou des souris.

Uncaged déclare : « Procter & Gamble dépense davantage d'argent pour faire de la publicité pendant 7 jours qu'elle n'en a dépensé à mettre au point des méthodes de tests plus "humaines" en 11 ans. »

Sources :

P & G Kills
www.pandgkills.com

PETA
www.peta.org

Animal activist
www.animalactivist.com

Uncaged
www.uncaged.co.uk

Starbucks, l'exemple à suivre
Siège social : Seattle (Washington)
Chiffres d'affaires (2002) : 3,22 milliards
de dollars

Dans beaucoup de régions du monde, il est normal pour de jeunes enfants d'accompagner leurs parents sur leur lieu de travail, puisque les garderies ne sont ni accessibles ni culturellement acceptées. Plusieurs travailleurs immigrants dépendent du travail sur les plantations de café pour leur subsistance, et ceci inclut l'aide de leurs enfants.

STARBUCKS

Le prix du café est une question de vie ou de mort pour des millions de petits producteurs dans les pays en voie de développement.

BIANCA JAGGER, *Washington Post*

1971. Seattle. Pike's Place Market. Une nouvelle boutique vient d'ouvrir ses portes. On y vend des grains de café fraîchement torréfiés. Un concept unique à l'époque. Le nom de l'établissement, Starbucks, est inspiré de celui d'un personnage du roman d'Herman Melville, *Moby Dick*. Dans ce classique de la littérature, le second, un dénommé Starbucks aime particulièrement le café. On fait le lien.

173

Le goût du café Starbucks fait rapidement jaser. « Avant longtemps, notre café [devient] légendaire[1]. » En 1982, un certain Howard Schultz est engagé en tant que directeur du marketing et du commerce de détail. Jeune, de belle apparence, au look branché ; exactement le profil de la clientèle cible de l'entreprise. Immédiatement, il s'emploie à vendre le goût Starbucks aux restos chic avoisinants. À l'occasion d'un séjour en Italie, Schultz s'émeut devant la culture des bars à *espresso* de Milan. Une culture qu'il compte bien importer aux États-Unis. En 1984, l'entrepreneur réussit à convaincre ses patrons d'essayer le concept du bar à *espresso* au centre-ville de Seattle. Le succès de ce nouvel établissement allumera la mèche qui fera exploser Starbucks…

1985. Howard Schultz fonde Il Giornale, un pseudo-café italien qui sert des *espressos* faits à partir de grains de café Starbucks. L'ambiance branchée et décontractée plaît aux gens d'affaires qui passent dans les environs. Avec l'aide d'investisseurs locaux, Il Giornale fait l'acquisition de Starbucks en 1987, qui devient alors Starbucks Corporation.

C'est le début d'une grande aventure. Tous les professionnels branchés d'Amérique s'agglutinent bientôt dans les multiples cafés Starbucks, qui poussent çà et là à Chicago, Vancouver, Portland… En 1990, on compte déjà 84 établissements. En 1992, Starbucks s'inscrit en Bourse, ce qui donne à la société une poussée de croissance sans précédent. Bientôt, on ne pourra plus penser au café sans penser à Starbucks. Après avoir contrôlé 272 établissements en 1993, l'entreprise en compte

---

[1] Extrait de documents commerciaux de Starbucks.

1 015 en 1996, 2 135 en 1999[2], 4 709 en 2001 et finalement 6 294 en 2003. En 10 ans, Starbucks Corporation a plus de 5 fois quadruplé le nombre de ses établissements ! C'est en 1996 que la compagnie amorce officiellement sa croisade internationale en ouvrant un café à Tokyo. Depuis, l'entreprise a conquis 22 marchés internationaux, notamment grâce à un système de franchises.

Aujourd'hui, Starbucks encaisse des revenus annuels de 3,22 milliards de dollars et compte 62 000 « partenaires[3] » . Vingt-deux millions de consommateurs visitent les cafés Starbucks chaque semaine. Vingt pour cent des cafés aux États-Unis sont des cafés Starbucks. Bon an mal an, l'entreprise achète 1 % de l'ensemble de la production mondiale de café. Starbucks, c'est aussi du thé (la marque Tazo) et de la musique, par le biais de Hear Musique, une filiale qui produit et distribue des disques compacts. En 2003, Starbucks n'est plus ce petit café « sympa » qui attire une clientèle m'as-tu-vu, mais bien un géant qui a le pied assez lourd pour faire bouger l'industrie de la deuxième boisson la plus populaire du monde. C'est d'ailleurs pour cette raison que la compagnie Starbucks est immédiatement montrée du doigt lors des grandes mobilisations entourant la question du café équitable…

Avril 2000. Au terme de vives protestations, Starbucks décide d'intégrer du café équitable à son offre. Pour les guérilleros du commerce équitable, c'est une toute petite bataille de gagnée. « Starbucks nous promet depuis deux ans qu'elle

---

[2] En 1999, un nouveau café Starbucks ouvrait toutes les 16 heures.

[3] Titre que donne Starbucks à ses employés, lesquels n'ont toutefois pas les avantages de partenaires…

est concernée par la question [du commerce équitable], et quand elle décide finalement de faire quelque chose, on dirait que c'est avant tout pour la forme », dit Simon Gerathy, directeur de la campagne de Trade Aid (un organisme de Nouvelle-Zélande). Prétextant qu'il n'y a pas une assez grande demande pour le café équitable, Starbucks a choisi de ne le vendre qu'à la livre, et non pas en tant que café à consommer sur place. Malgré tout, cela représente une petite victoire au sein d'une guerre beaucoup plus vaste. Récapitulation.

Un ou deux esclaves dans votre café ?

Depuis toujours, des hommes, des femmes et des enfants se cassent la vie dans les caféières d'Afrique, d'Amérique latine et d'Indonésie. Sous-payés, ils doivent composer avec des conditions de travail pitoyables. La situation n'est pas nouvelle, mais l'arrogant succès commercial de Starbucks ne fait qu'ajouter à la grogne populaire par rapport à la misère des travailleurs de cette industrie malade. Starbucks devient vite la cible de choix des activistes. Rapidement, on met sur les épaules de l'entreprise tous les vices possibles. On l'accuse notamment d'être partie prenante dans l'exploitation éhontée des travailleurs du café. Le public s'approprie la « cause café » et, bientôt, l'expression « café équitable » se retrouve sur toutes les lèvres.

Bien que l'exploitation des travailleurs du Tiers-Monde existe depuis la colonisation (et même avant), ce n'est que récemment que l'on voit s'organiser des groupes de pression dans le monde occidental. Tranquillement, un nombre grandissant de personnes sont sensibilisées aux vertus du commerce équitable et commencent à exiger que leurs denrées soient produites dans le respect des droits et de la dignité des travailleurs. À commencer par le café. C'est que l'industrie du café rassemble tous les ingrédients d'une bonne mobilisation. Soyons clairs : la situation est lamentable. Actuellement, 25 millions de personnes, dispersées dans 70 pays, vivent de la culture du café, le deuxième produit le plus commercialisé après le pétrole. Selon l'Organic Consumers Association (OCA), beaucoup de ces petits producteurs reçoivent, pour leur récolte, une somme inférieure au coût de production. Qui plus est, ces producteurs doivent parfois vendre leur production à un intermédiaire qui l'achète souvent à moitié prix, soit entre 0,30 $ et 0,50 $ la livre. À cause de l'absence de réglementation dans les pays en voie de développement, plusieurs s'en mettent plein les poches alors que leurs voisins vivent dans la pauvreté la plus complète.

L'idée d'un café équitable existe en Europe depuis 1988, mais ne fait sérieusement son apparition en Amérique du Nord qu'en 1996. Au Québec, Laure Waridel est souvent citée comme étant l'une des personnes ayant le plus contribué à la cause du café équitable. Fondatrice de l'organisme Équiterre, c'est après un voyage au Mexique, où elle constate les conditions dans lesquelles est produit le café, qu'elle décide de s'intéresser à la cause. Elle publie un livre sur le sujet[4] et consacre tous ses efforts à informer le public, tout en cherchant à faire connaître une

---

[4] Laure Waridel, *Une cause café : pour le commerce équitable*, Les Intouchables, 1997.

solution de remplacement : le café équitable. Elle ne l'admettra jamais, mais ses efforts ont grandement contribué à ce que l'expression « café équitable » devienne un terme d'usage courant dans la Belle Province. « On a simplement créé un début d'effet boule de neige », dit-elle.

Pendant ce temps, aux États-Unis, Global Exchange est mis sur pied. Fondé en 1998 à San Francisco, cet organisme voué au respect des droits humains à l'échelle internationale s'impose rapidement comme le porte-étendard du développement durable et du commerce équitable. Il livre une rude bataille à Starbucks, exhortant la société de Seattle à offrir à sa clientèle du café équitable. Les supporteurs de cette campagne sont invités à faire parvenir des télécopies aux dirigeants de Starbucks, précisant leurs revendications. En gros, Global Exchange demande à Starbucks d'acheter du café certifié équitable par Fair Trade (ou TransFair Canada). Selon Fair Trade, pour être considéré comme équitable, le café doit être acheté à un coût minimum de 1,26 $ la livre et seulement à des producteurs organisés en coopératives. Ainsi, l'argent va directement au producteur, sans passer par un intermédiaire.

En parallèle, l'Organic Consumers Association (OCA), une puissante ONG américaine faisant la promotion de l'alimentation biologique et qui regroupe quelque 80 000 bénévoles, mène une campagne similaire contre Starbucks, demandant à l'entreprise de cesser de vendre des aliments modifiés génétiquement.

Ces quelques initiatives, parmi tant d'autres, plongent Starbucks dans la controverse. Les chouettes petits cafés sont bientôt la cible de vandales qui en fracassent les vitrines la nuit venue, ou encore de manifestants qui en bloquent l'entrée. Les appels au boycottage se multiplient. Oui, Starbucks est le souffre-douleur qui servira d'exemple aux autres...

Devant une telle mobilisation publique, Starbucks ne peut rester les bras croisés... C'est ainsi que, aujourd'hui, une minuscule portion du café qu'achète Starbucks est certifié équitable. « À l'échelle de Starbucks, explique Laure Waridel, il est vrai que cela représente un tout petit pourcentage. Mais ce petit pourcentage-là représente énormément de café ! Donc, un gros potentiel pour soutenir énormément de producteurs de café équitable. Toutefois, il faut continuer à faire pression afin qu'ils en vendent davantage[5]. » En mars 2003, le combat n'est pas terminé pour l'OCA. Ronnie Cummins, directrice nationale de l'organisme, déclare : « En dépit des promesses qu'elle a faites, Starbucks remplit toujours ses boissons au café avec du lait altéré avec du rBGH (une hormone de croissance bovine), en plus d'acheter du café et du chocolat produits dans des conditions d'exploitation des travailleurs et, dans le cas des plantations de cacao en Afrique, les travailleurs sont pratiquement tenus en esclavage[6]. »

La disparition du café équitable

L'objectif ultime de toute cette mobilisation, c'est d'arriver à éliminer de notre vocabulaire l'expression « café équitable ». C'est aussi que les Starbucks de ce monde cessent de considérer le

---

[5] Extrait d'un entrevue accordée à l'auteur par Laure Waridel le 19 mai 2003.

[6] Extrait d'un communiqué émis par l'OCA (Organic Consumers Association) le 25 mars 2003.

café équitable comme une « bonne stratégie marketing » et fassent vraiment quelque chose pour améliorer le sort des travailleurs du café. Lorsqu'il occupera toute la place, il sera inutile de préciser qu'il s'agit de café équitable. « Utopie », diront certains. En effet, c'est d'ailleurs le grand drame. L'industrie du café est tellement pourrie, les étapes à franchir sont tellement complexes pour arriver à ce que les travailleurs du café puissent vivre décemment, que de penser qu'il puisse y avoir, un jour, un monopole du café équitable relève de l'utopie pure et simple. Laure Waridel n'y croit pas : « Mais une situation bien meilleure qu'à l'heure actuelle, je pense que c'est possible. Au cours des dernières années, la vente de café équitable a augmenté de 800 %. C'est énorme. Mais il est facile d'obtenir de tels résultats si l'on considère d'où l'on est parti. Désormais, on invite la population à non seulement acheter du café équitable, mais à l'exiger là où il n'est pas disponible. Cela prend beaucoup d'efforts. Mais jusqu'ici, les efforts ont donné des résultats[7]… »

Sources :

Équiterre
www.equiterre.qc.ca/cafe/

Global Exchange
www.globalexchange.org

Organic Consumers Association
www.organicconsumers.org

---

[7] Extrait d'une entrevue accordée à l'auteur par Laure Waridel le 19 mai 2003.

Wal-Mart, le raz-de-marée
Siège social : Bentonville (Arkansas)
Chiffre d'affaires (2003) : 244,5 milliards
de dollars

> *Le rêve de Sam Walton était simple :*
> *offrir aux gens des produits de haute qualité,*
> *à bas prix et un accueil chaleureux.*
> WAL-MART

> *Plus j'en apprenais sur eux, plus je les haïssais.*
> AL NORMAN, activiste anti-Wal-Mart

1962. Sam Walton réalise son rêve en ouvrant un magasin à bas prix dans la municipalité de Rogers, en Arkansas. Jusqu'à 1968, l'entreprise n'opère que dans cet État, puis s'étend tranquillement en Oklahoma. En 1971, la bannière Wal-Mart a conquis cinq États américains : l'Arkansas, le Missouri, l'Oklahoma, le Kansas et la Louisiane. Ce n'est qu'un début. Wal-Mart, au cours des prochaines décennies, s'incruste aux quatre coins des États-Unis, en appliquant chaque fois la même politique de bas prix, en s'installant presque toujours en périphérie des centres urbains (où les terrains sont moins coûteux), en plaçant ses magasins le

181

plus près possible des fournisseurs (afin d'économiser sur les frais de transport), en submergeant d'établissements un marché particulier (pour rentabiliser les dépenses publicitaires).

Bientôt, toutes les familles états-uniennes ont un Wal-Mart à portée de main, qui peut répondre à tous leurs besoins… Wal-Mart bat des records de ventes et cumule les succès commerciaux.

Après avoir inondé les États-Unis, le raz-de-marée Wal-Mart déborde des frontières américaines, avec l'arrivée d'un magasin à Mexico (en 1991). À partir de ce moment, il sera difficile d'arrêter la crue. En 1992, le géant américain se pointe à Porto Rico. En 1994, il achète 122 magasins Woolco au Canada. Cette même année, Wal-Mart ouvre 3 établissements à Hong Kong alors qu'on en compte désormais 96 au Mexique. En 1995, le Brésil et l'Argentine sont convertis. Un an plus tard, c'est au tour de la Chine. L'Europe n'est pas en reste. En 1998, Wal-Mart achète 21 magasins Wertkauf en Allemagne et 76 magasins Interspar (toujours en Allemagne) l'année suivante. En 1999, 229 établissements ASDA, en Angleterre, tombent dans le giron de Wal-Mart.

En 1998, Weissman et Mokhiber[1] prédisaient que Wal-Mart allait devenir la plus grande entreprise du monde « dans moins de 10 ans ». Seulement quatre ans plus tard, c'était chose faite. En 2003, Wal-Mart ravit à ExxonMobil la première place du palmarès *Global 500* (*Fortune*).

Aujourd'hui, Wal-Mart, c'est : 1 568 magasins aux États-Unis, sans compter les 1 258 Super-

---

[1] Russel Mokhiber et Robert Weissman, *Corporate Predators, The Hunt for Mega-profits and the Attack on Democracy*, Monroe, Common Courage Press, 1999, p. 151.

centers[2] et les 525 Sam's Clubs[3]. Hors des frontières américaines, Wal-Mart possède 1 288 autres établissements. Elle accapare 14 % du marché américain de la vente au détail de produits alimentaires[4]. La multinationale est aussi le plus grand employeur privé du monde avec 1,3 million d'« associés ». Le géant des bas prix de tous les jours prétend que 93 millions d'Américains arpentent chaque semaine ses interminables allées, avides de rabais alléchants... En 2002, Wal-Mart a enregistré les plus grosses recettes de l'histoire du commerce de détail pour une seule journée : au lendemain de l'Action de Grâce, 1,43 milliard de dollars ont fait sonner les milliers de tiroirs-caisses des magasins Wal-Mart. En 2001, les revenus de Wal-Mart dépassaient le PIB de 200 pays, dont la Suède, l'Autriche, la Pologne, la Norvège, le Danemark, l'Indonésie et le Venezuela. La veuve et trois des quatre enfants de Sam Walton (fondateur de Wal-Mart) occupent les septième, huitième, neuvième et dixième positions du palmarès des personnes les plus riches de la planète[5].

Wal-Mart est un succès sur toute la ligne. C'est l'entreprise la plus admirée du monde[6]. Les fournisseurs sont contents, les consommateurs sont contents, les patrons dansent de joie (au sens propre du terme) à l'assemblée annuelle des actionnaires... Bref, tout le monde est content.

---

[2] Un magasin Wal-Mart auquel on combine une épicerie, un salon de coiffure, un comptoir bancaire, etc.

[3] Club d'achats en gros.

[4] Statistiques émises par *Supermarket News* (www.supermarketnews.com).

[5] « The World's Most Richest People », *Forbes*, 2003.

[6] « Global Most Admired Companies », *Fortune*, 2003.

Tout le monde, sauf Al Norman.

Greenfield (Massachusetts). Une paisible communauté de 8 400 habitants où rien ne se passe et ce, pour le plus grand plaisir des citoyens. Une banale question de zonage fera toutefois de Greenfield la terre natale du mouvement anti-Wal-Mart.

Cette année-là, les autorités locales caressent le projet de transformer un site de 63 acres à vocation industrielle en un site commercial afin d'y accueillir un Wal-Mart « godzilléen ». Des citoyens s'opposent au projet et décident de faire appel à Al Norman. Norman connaît bien la politique. Dans le passé, il a travaillé à faire élire autant des shérifs locaux que des membres du Congrès. C'est en tant que consultant politique que les gens de Greenfield ont fait appel à ses services. Norman décide d'organiser un référendum pour que la population puisse trancher démocratiquement la question.

19 octobre 1993. Les gens de Greenfield rejettent l'idée de redéfinir le site industriel en zone commerciale. Wal-Mart n'a pas d'autre choix que d'aller traîner ses bas prix ailleurs. L'histoire de ce doigt d'honneur au géant du commerce de détail fait rapidement le tour des États-Unis et, bientôt, Norman commence à recevoir des appels téléphoniques d'un peu partout au pays : « On m'appelait parce que l'on avait entendu dire que j'avais battu Wal-Mart. On me demandait comment nous avions fait dans notre ville et j'ai commencé à donner aux gens des suggestions et des conseils. De plus, j'ai commencé à écrire un livre à propos des batailles dont j'entendais parler un peu partout

au pays[7]. » De fil en aiguille, Norman devient une sorte de Robin des Bois des grandes surfaces. L'émission *60 Minutes* le surnomme même le « gourou du mouvement anti-Wal-Mart ». Lui-même dit avec fierté : « Au cours des 10 dernières années, j'ai aidé à tuer plus de Wal-Mart que quiconque sur cette planète. » Sur le site Internet d'Al Norman, Sprawl-Busters.com, on compte 192 municipalités qui ont réussi à empêcher la construction d'une grande surface. Plusieurs d'entre elles ont suivi les conseils de Norman.

Depuis 10 ans, Al Norman a visité 43 États américains. Avec le temps, sa bataille s'est élargie. Quand il y a de la place pour Wal-Mart, il y a de la place pour Costco, Target, et toutes les autres grandes surfaces qui ont le malheur de vouloir s'imposer, sans invitation, au sein d'une communauté.

« La construction de monstres sans fenêtres à l'architecture morte qui dévorent nos terres est une insulte, écrit Norman. Sinon, comment expliquez-vous que des centaines de citoyens participent à une audience publique sur le zonage ? » C'est une frustration de cet ordre qui a transformé Al Norman en activiste, mais ses recherches lui ont fait découvrir un certain nombre de choses douteuses : « Plus j'en découvrais à propos de ces grandes chaînes, plus je les détestais. » En ce qui concerne Wal-Mart, il s'insurge contre sa politique d'inondation du marché. Lorsque Wal-Mart s'installe quelque part, l'objectif est d'ouvrir suffisamment d'établissements pour accaparer la totalité du marché. « Quand Wal-Mart parle

---

[7] Al Norman, *Slam-Dunking Wal-Mart, How You Can Stop Superstore Sprawl in Your Hometown*, Raphel Marketing, 1999.

de *one-stop shopping* [achats en une fois], on devrait prendre cette expression dans son sens littéral. Wal-Mart veut être le seul endroit où vous et moi allons magasiner[8] », poursuit Norman. En 1994, l'économiste Tom Muller estimait que les magasins Wal-Mart en Arkansas avaient sucé 1,2 milliards de dollars d'un marché de commerce de détail d'environ 4 milliards de dollars. C'est 30 % du marché sous une seule bannière.

L'« extension anarchique[9] » des grandes surfaces a, selon Al Norman, nombre d'effets pervers : destruction de la valeur économique et environnementale d'un site, concurrence absurde entre les gouvernements locaux (qui se livrent à une guerre de taxes afin d'attirer les grandes surfaces), obligation d'aménager de coûteuses infrastructures en périphérie des villes (conduites d'eau, électricité, routes[10]), dégradation de la beauté d'une localité, réduction de la valeur des autres propriétés commerciales ou résidentielles avoisinantes (ce qui réduit par le fait même les revenus municipaux), désintéressement des consommateurs quant aux autres artères commerciales (ce qui nécessite l'utilisation de fonds publics pour revitaliser des secteurs commerciaux en déclin), etc. Bref, pour Al Norman comme pour plusieurs autres activistes, l'arrivée d'un Wal-Mart est tout sauf une bonne affaire pour la communauté.

---

[8] Extrait d'une entrevue accordée à l'auteur par Al Norman le 11 mai 2003

[9] Traduction française de « *sprawl* ».

[10] Les nouvelles constructions en périphérie des centres urbains utilisent cinq fois plus de conduites d'eau et de câbles et dépensent cinq fois plus d'énergie.

Des employés à bas prix

« Ils te poussent à la limite. Ils veulent simplement savoir tout ce qu'ils peuvent tirer de toi avant d'avoir à engager quelqu'un d'autre », a confié Jennifer McLaughlin, une « associée » d'un Wal-Mart de Paris (Texas), au magazine gauchiste *Mother Jones*[11]. Son histoire est celle de milliers d'autres employés de Wal-Mart qui, malgré leurs sourires forcés et leur fausse sympathie, ont chez Wal-Mart des salaires de misère et des conditions de travail souvent douteuses. Le quotidien de Jennifer McLaughlin est stressant, rapporte *Mother Jones*, car « parfois, il semble qu'il n'y ait tout simplement pas assez d'employés pour faire le travail ». La jeune « associée » se farcit donc des journées débiles où elle doit, par exemple, utiliser un élévateur mécanique pour prendre un produit en haut d'une étagère, attraper un poisson dans un réservoir, épousseter les vélos, regarnir les étalages et répondre aux questions des consommateurs à propos de terre d'empotement ou de tondeuses à gazon. Tout ça, pour un salaire annuel de 16 800 $, avec trois années d'ancienneté. Un salaire qui, à lui seul, ne suffirait à personne pour mener une vie décente. Ceux qui paient vraiment pour que les consommateurs d'Amérique puissent profiter d'un joyeux rabais sur les chaises de jardin sont, au bout du compte, les « associés » de Wal-Mart.

Rappelons-le, Wal-Mart est l'entreprise la plus rentable du monde. On ne parle pas ici d'un pauvre petit commerce de banlieue qui peine à survivre, mais d'un géant qui engrange quelque

---

[11] Karen Olsson, « Up Against Wal-Mart », *Mother Jones*, mars/avril 2003.

6 milliards de dollars de profits par année. Selon *Mother Jones*, le salaire moyen d'un employé chez Wal-Mart est de 18 000 $, et 40 % des employés ont décidé de ne pas accepter de plan médical, qui leur aurait coûté 2 844 $ annuellement.

Il n'est pas étonnant que des milliers d'employés et d'ex-employés de Wal-Mart décident de protester contre les bas salaires qu'offre le géant. En 2003, des employés de quelque 100 magasins Wal-Mart, dans 25 États, cherchent à se syndiquer afin de pouvoir revendiquer de meilleurs salaires et de meilleures conditions de travail.

Évidemment, la syndicalisation ne fait pas tellement plaisir au roi du rabais, qui réplique farouchement. Le National Labor Relations Board a même découvert que, dans une dizaine de cas, Wal-Mart a violé les lois du travail en confisquant de la documentation sur la syndicalisation, en interrogeant les travailleurs et en renvoyant les supporteurs de la syndicalisation. Martin Levitt, un consultant en relations de travail qui a aidé des entreprises aux prises avec des « problèmes » de syndicalisation, avouait à *Mother Jones* : « En 35 ans de métier, je n'ai jamais vu une compagnie qui va aussi loin que Wal-Mart pour éviter la syndicalisation. »

Malgré tout, parions que ni le combat d'Al Norman ni les efforts de syndicalisation des « associés » n'empêcheront les patrons de Wal-Mart de danser de joie (encore une fois) à la prochaine assemblée annuelle des actionnaires…

Source :

Sprawl-Busters
www.sprawl-busters.com

Worldcom/MCI, l'alchimiste
Siège social : Ashburn (Virginie)
Chiffre d'affaires : 30 milliards de dollars

Aujourd'hui, Worldcom a besoin de l'aide, de la compréhension et de la patience des consommateurs, des créanciers et du peuple américain.

JOHN SIGDMORE, ex-PDG de Worldcom,
dans une lettre publique (1er juillet 2002)

Indéniablement l'auteur de la plus épouvantable et dommageable fraude jamais commise dans l'histoire de l'entreprise.

Extrait du site Internet BoycottMCI.com

1983. Bernard Ebbers, un Canadien qui gère des motels, décide, avec trois copains, de lancer une boîte spécialisée dans la revente de minutes de communications interurbaines. Ce gaillard de 59 ans se retrouve ainsi à la tête d'une société qui s'impose dans l'industrie des télécommunications. D'abord un peu. Puis beaucoup. Et à la folie…

Après avoir fait l'acquisition de plusieurs petites compagnies de téléphone mal en point et mis en place un réseau de communication à la grandeur du pays, Worldcom achète, en 1997,

189

une importante compagnie américaine de communications interurbaines : MCI. Pour l'époque, la transaction est historique : 30 milliards de dollars américains. Illico, Worldcom atterrit au deuxième rang mondial dans le secteur des communications interurbaines, juste derrière AT & T.

La folie des télécoms en est alors à ses balbutiements. L'incroyable bulle spéculative enveloppant cette industrie donne à Worldcom les fonds nécessaires pour grossir davantage, effectuer nombre d'acquisitions pas toujours judicieuses et investir dans d'énormes projets dont le potentiel reste encore fort hypothétique. Comme bien d'autres *telcos*, Worldcom change du vent en or et finance ainsi son expansion démesurée...

Lorsque la bulle des télécoms éclate, c'est une véritable claque que reçoit Worldcom. Criblée de dettes et avec une valeur en Bourse qui dégringole, rien ne va plus pour elle.

26 juin 2002. On découvre des irrégularités dans les rapports comptables de Worldcom. Pendant cinq trimestres consécutifs, l'entreprise a gonflé ses revenus pour mieux plaire aux analystes. La valeur des boursouflures, d'abord estimée à 3,8 milliards de dollars, atteint quelques mois plus tard près de 11 milliards de dollars. Lorsque la nouvelle est rendue publique, la valeur du titre de Worldcom chute de 70 %. Qui accuser ? Le chef des affaires financières Scott Sullivan ? Le PDG John Sigdmore ? Les analystes, pour avoir été si optimistes envers Worldcom, entraînant ainsi des milliers d'investisseurs dans un profond gouffre financier ? Peu importe, ceux qui sont les premiers à écoper sont les 17 000 employés que la société met à pied

immédiatement après l'annonce de la fraude. Dans le lot, le chef des affaires financières est aussi remercié.

Ce monumental scandale financier, s'ajoutant à celui du courtier en énergie Enron (survenu quelques mois plus tôt), plonge les États-Unis dans un climat de crainte et déstabilise les marchés boursiers. Il faudra pédaler ferme pour regagner la confiance des investisseurs.

21 juillet 2001. Worldcom se place sous la protection du chapitre 11 de la Loi sur les faillites. Avec ses 100 milliards de dollars d'actifs déclarés, la faillite de Worldcom est deux fois plus importante que celle d'Enron, qui détenait le record de la plus grosse faillite de l'histoire des États-Unis. La dette de Worldcom est évaluée à 30 milliards de dollars. Pour le géant des télécoms, le temps est maintenant venu de se doter d'un plan de réorganisation qui lui permettra de poursuivre ses activités régulières. Régulières, avec un bémol toutefois. De juillet 2002 à avril 2003, 22 000 employés sont fichus à la porte à cause des magouilles de quelques patrons et comptables.

Novembre 2002. Le n° 2 de Hewlett-Packard, Michael Capellas, prend la barre de Worldcom. Il aura le joyeux mandat de remettre un peu d'ordre dans ce fiasco historique. « Aujourd'hui, nous lançons une nouvelle société, une société qui retrouvera les forces de son passé et qui se concentrera sur un avenir prometteur[1] », déclare le nouveau PDG, qui n'a par ailleurs aucune

---

[1] Extrait d'un communiqué émis par Hewlett-Packard le 15 novembre 2002.

expérience en télécommunications, mais plutôt un passé de « redresseur d'entreprises dans le rouge ».

Janvier 2003. Capellas lance un plan de 100 jours visant à réorganiser son comité de direction et à se doter de meilleures mesures de gestion. Trois mois plus tard, Worldcom annonce un nouveau plan qui lui permettra d'éliminer son monstrueux déficit. Et comme le nom de Worldcom sonne comme « Satan » aux oreilles de nombreux investisseurs, le n° 2 des télécommunications a trouvé sage d'adopter plutôt l'identité de sa filiale, MCI, afin de faire oublier un peu son frauduleux passé. Il est difficile de dire avec précision à quoi ressemble Worldcom/MCI aujourd'hui, qui engagerait toujours quelque 58 000 personnes, dispersées dans 65 pays. Mais pour combien de temps ?

Évidemment, plusieurs personnes sont choquées par l'attitude de Worldcom au lendemain de la découverte des manipulations comptables. Dans le lot, Mitch Marcus, un ancien gestionnaire de comptes de Worldcom, décide de fonder, en mai 2002, le site Internet BoycottWorldcom.com (maintenant BoycottMCI.com). Le site vise à « dissuader les consommateurs, les entreprises et les organismes gouvernementaux d'acheter des services de télécommunication et de l'équipement de Worldcom/MCI ». Mitch Marcus n'y va pas de main morte lorsqu'il accuse son ancien employeur. Worldcom a commis une fraude comptable de plus de 10 milliards de dollars, ce qui a causé la perte de 3 milliards de dollars en fonds de pension, une perte de plus de 176 milliards de dollars pour les investisseurs, la perte de confiance des investisseurs dans le marché boursier, la perte de dizaines de milliers d'emplois et la misère pour des centaines de milliers de familles qui doivent se battre pour boucler leur budget. Voilà le prix que coûte une manipulation comptable.

Mitch Marcus en a aussi contre le gouvernement de George W. Bush qui n'a pas poursuivi Worldcom/MCI pour fraude commerciale et qui a accordé à la FCC le droit de ne pas révoquer le permis d'opération de Worldcom/MCI. « Dans son rapport préliminaire, l'enquêteur spécial Richard Thornburgh a décrit MCI comme une compagnie ayant une culture de corruption qui n'est pas limitée aux mauvaises actions d'une poignée d'individus. » L'information contenue sur le site BoycottMCI.com confirmerait ses dires...

L'histoire est loin d'être terminée. Même si Worldcom/MCI aimerait balayer son passé sous le tapis, elle devra vivre avec l'odieux durant de nombreuses années. Chaque déclaration encourageante qu'elle fera dans le futur sera soumise à d'intenses vérifications par tout un chacun. Et quand on gratte un peu, on trouve toujours quelque chose. Que trouvera-t-on la prochaine fois ?

Vers de meilleures pratiques de gestion

Les scandales financiers tels ceux de Worldcom et d'Enron ont mis sur la sellette les questions de bonne gestion. Au Canada, exactement un jour après qu'ait éclaté le scandale Worldcom (soit le 27 juin 2002), s'est formée la Coalition canadienne pour la bonne gestion. Le groupe, composé de grands gestionnaires de portefeuilles, de fonds de pension et de fonds mutuels, représente quelque 500 milliards de dollars d'actifs et veut améliorer et promouvoir la bonne gestion des entreprises canadiennes. Des activistes en complet-veston.

Les instigateurs de ce regroupement sont Stephen Jarilowsky, gestionnaire vedette et patron de Jarilowsky Fraser Limited, et Claude Lamoureux, président du Fonds de pension des enseignantes et enseignants de l'Ontario. Entre autres initiatives, la coalition veut superviser la composition des conseils d'administration, insister pour que les comités clés des conseils d'administration soient composés en majorité d'administrateurs externes, en bref, éviter que les C.A. des grandes sociétés ne soient que des clubs sélects de petits copains qui n'en ont que pour leurs propres intérêts.

En affaires, il n'y a pas d'amis, dit-on...

Sources :

Canadian Coalition for Good Governance
www.ccgg.ca

Boycott MCI
www.boycottmci.com

TABLE DES MATIÈRES

MEMBRE DE SCABRINI MEDIA

Québec, Canada
2003